POESIAS INÉDITAS
&
POEMAS DRAMÁTICOS

Livros do autor na Coleção **L&PM** POCKET:

Cancioneiro
Mensagem
Odes de Ricardo Reis
Poemas de Alberto Caeiro
Poemas de Álvaro de Campos
Poesias
Poesias inéditas e poemas dramáticos
Quadras ao gosto popular

Leia também:

Fernando Pessoa – Obras escolhidas: Mensagem; Poemas de Alberto Caeiro; Odes de Ricardo Reis; Poemas de Álvaro de Campos

FERNANDO PESSOA

POESIAS INÉDITAS
&
POEMAS DRAMÁTICOS

Organização, ensaio biobibliográfico, apresentação e notas de Jane Tutikian

www.lpm.com.br

Coleção **L&PM** POCKET, vol. 1152

Texto de acordo com a nova ortografia.

Primeira edição na Coleção **L&PM** POCKET: setembro de 2014
Esta reimpressão: maio de 2019

Capa: L&PM Editores
Organização, ensaio biobibliográfico, apresentação e notas: Jane Tutikian
Revisão: L&PM Editores

CIP-Brasil. Catalogação na fonte
Sindicato Nacional dos Editores de Livros, RJ

P567p

Pessoa, Fernando, 1888-1935
 Poesias inéditas & Poemas dramáticos / Fernando Pessoa; [Organização, ensaio biobibliográfico, apresentação e notas de Jane Tutikian]. – Porto Alegre, RS: L&PM, 2019.
 352 p. ; 18 cm.   (Coleção L&PM POCKET; v. 1152)

 ISBN 978-85-254-3101-1

 1. Pessoa, Fernando, 1888-1935. 2. Poesia portuguesa. I. Título. II. Série.

14-09055   CDD: 869.91
           CDU: 821.134.3(81)-1

© dos ensaios e notas, L&PM Editores, 2014

Todos os direitos desta edição reservados a L&PM Editores
Rua Comendador Coruja, 314, loja 9 – Floresta – 90220-180
Porto Alegre – RS – Brasil / Fone: 51.3225.5777

PEDIDOS & DEPTO. COMERCIAL: vendas@lpm.com.br
FALE CONOSCO: info@lpm.com.br
www.lpm.com.br

Impresso no Brasil
Outono de 2019

Sumário

Sobre Fernando Pessoa – *Jane Tutikian* 7

Poesias inéditas 19
    Apresentação – *Jane Tutikian* 21

Poemas dramáticos 245
    Apresentação – *Jane Tutikian* 247

Cronologia 330

Índice de títulos e primeiros versos 334

SOBRE FERNANDO PESSOA

Jane Tutikian[1]

Falar de Fernando Pessoa não é apenas falar do maior poeta de língua portuguesa do século XX, mas é, também, falar de uma personalidade extremamente controvertida (como a de todo o gênio) e de uma obra vasta, afinal, Pessoa é vários poetas num só.

Filho de Joaquim de Seabra Pessoa, funcionário público e crítico musical, e de Maria Madalena Pinheiro Nogueira, Fernando Antônio Nogueira Pessoa nasce em 13 de junho de 1888 na cidade de Lisboa, e sua primeira infância é marcada por acontecimentos que deixam cicatrizes para toda a vida. Com apenas cinco anos de idade, em 1893, Pessoa perde o pai, que morre de tuberculose, e ganha um irmão, Jorge. A morte de Joaquim traz tantas dificuldades financeiras à família que Madalena e seus filhos são obrigados a baixar o nível de vida, passando a viver na casa de Dionísia, a avó louca do poeta.

São as duas primeiras perdas do menino: o pai, a quem era muito apegado, e a casa. No ano seguinte, 1894, morre também Jorge. E, como para que compensar tudo isso, é nesse ano que Fernando Pessoa "encontra" um amigo invisível: o Chevalier de Pas, ou o Cavaleiro do Nada, "por quem escrevia cartas dele a mim mesmo", diz o poeta, na carta de 1935 ao crítico Casais Monteiro.

---

1. É doutora em Literatura Comparada pela Universidade Federal do Rio Grande do Sul (UFRGS) e pós-doutora pela Pontifícia Universidade Católica do Rio Grande do Sul (PUCRS). Leciona Literatura Portuguesa e Luso-Africana na UFRGS. Organizou diversos volumes de poesia portuguesa e é autora de vários livros de ficção. (N.E.)

Em 1895, dois anos após a morte de Joaquim, Madalena se casa com o comandante João Miguel Rosa, cônsul de Portugal na cidade de Durban, uma colônia inglesa na África do Sul, e é para lá que a família se muda no ano seguinte.

Pouco se sabe a respeito da família nesse período africano, a não ser o nascimento dos irmãos Henriqueta Madalena, Madalena (que morre aos três anos) e João, e algumas notícias sobre a escolaridade de Fernando. Em 1896, ele inicia o curso primário na escola de freiras irlandesas da West Street. Três anos depois, ingressa na Durban High School. Considerado um aluno excepcional, em 1900 é admitido no terceiro ano do liceu e, antes do final do ano letivo, é promovido ao quarto ano. Faz em três o que deveria fazer em cinco anos.

O ano seguinte é um ano de alegria, surpresa e descoberta para o adolescente Pessoa: as férias são em Portugal, e só em setembro de 1902 ele regressa a Durban. Foi nessa época, aos catorze anos, que escreveu seu primeiro poema em português que chegou até nós:

> (...)
> Quando eu me sento à janela,
> P'los vidros que a neve embaça
> Julgo ver a imagem dela
> Que já não passa... não passa...

Em 1903, o jovem Fernando Pessoa é admitido na Universidade do Cabo, cursa apenas um ano; alguma coisa no poeta fala mais forte, e, nesse período, ele cria várias "personalidades literárias", ou seja, vários poetas fictícios que vão assinar as poesias que "eles próprios" escrevem. Entre os poetas saídos da imaginação de Pessoa nessa época, destacam-se dois: Alexander Search, um adolescente, como o seu criador, que, inclusive, nasceu no dia do seu aniversário, e Charles Robert Anon, também adolescente, mas totalmente oposto ao temperamento de Fernando.

De alguma maneira, começava a se delinear aquilo que faria de Fernando Pessoa um poeta como nenhum outro no mundo: um poeta que, sendo um, era muitos poetas.

Em 1904, a família aumenta; é a vez do nascimento da irmã Maria Clara. Um ano depois, há uma virada na vida do poeta: ele retorna a Portugal, onde passa a viver com a tia-avó Maria e inscreve-se na Faculdade de Letras, mas, com a criação poética pulsando em toda a sua intensidade, quase não frequenta o curso. O ano seguinte, Pessoa mora com a mãe e o padrasto, que estão em férias em Lisboa; mas morre a irmã Maria Clara, a família volta para Durban, e ele vai morar com a avó e com as tias. É então que desiste, definitivamente, do curso de Letras.

Com a morte da avó, em 1907, Fernando Pessoa recebe uma pequena herança e aplica-a integralmente numa tipografia. Falta-lhe, entretanto, experiência, e o empreendimento logo fracassa. Isso faz com que, em 1908, comece a trabalhar como "correspondente de línguas estrangeiras", ou seja, encarrega-se da correspondência comercial em inglês e francês em escritórios de importações e exportações, profissão que, junto com a de tradutor, desempenhará até o fim da vida.

É em 1912 que Fernando Pessoa conhece outro jovem poeta, de quem se torna grande amigo e parceiro na aventura literária: Mário de Sá-Carneiro. É um momento interessante na vida de Pessoa, e, ao contrário do que se pensa, ele não estreia na literatura com poesias, mas publicando artigos na revista *A Águia*, cujo editor e organizador é o também poeta Teixeira de Pascoais. Seus artigos provocam polêmica junto à intelectualidade portuguesa, até porque ele mexe com o grande ícone da nação: Pessoa anuncia a chegada, para Portugal, de um poeta maior do que Luís de Camões; um supra-Camões, o que faz com que seja imediatamente criticado. Essa é também a época em que ele passa a viver com a tia preferida, Anica.

O ano seguinte é de muita produção. Ligado às ciências ocultas, escreve os primeiros poemas esotéricos; "Epithalamium", um poema erótico em inglês; "Gládio", que depois usará na *Mensagem*, o poema que conta a história de Portugal; e uma peça de teatro de um único ato chamada "O Marinheiro" – diz-se, inclusive, que escreveu a peça em apenas 48 horas. É também nesse ano que publica, na revista *A Águia*, um texto chamado "Floresta do Alheamento", que, mais tarde, fará parte do *Livro do desassossego*, uma obra escrita durante toda a sua vida de criador.

Mas nenhum dia foi igual àquele 8 de março de 1914: o "dia triunfal". Deixemos que o poeta nos conte:

> ...foi em 8 de março de 1914 – acerquei-me de uma cômoda alta, e, tomando um papel, comecei a escrever, de pé, como escrevo sempre que posso. E escrevi trinta e tantos poemas a fio, numa espécie de êxtase cuja natureza não conseguirei definir. Foi o dia triunfal da minha vida, e nunca poderei ter outro assim. Abri com um título, *O guardador de rebanhos*. E o que se seguiu foi o aparecimento de alguém em mim, a quem dei desde logo o nome de Alberto Caeiro. Desculpe-me o absurdo da frase: aparecera em mim o meu mestre. Foi essa a sensação imediata que tive. E tanto assim que, escritos que foram esses trinta e tantos poemas, imediatamente peguei noutro papel e escrevi, a fio, também, os seis poemas que constituem a *Chuva oblíqua*, de Fernando Pessoa. Imediatamente e totalmente... Foi o regresso de Fernando Pessoa-Alberto Caeiro a Fernando Pessoa ele só. Ou, melhor, foi a reação de Fernando Pessoa contra a sua inexistência como Alberto Caeiro. Aparecido Alberto Caeiro, tratei logo de lhe descobrir – instintiva e subconscientemente – uns discípulos. Arranquei do seu falso paganismo o Ricardo Reis latente, descobri-lhe o nome, e ajustei-o a si mesmo, porque nessa altura já o *via*. E, de repente, e em derivação oposta à de Ricardo Reis, surgiu-me impetuosamente um novo indivíduo. Num jato, e à máquina de escrever, sem interrupção nem emenda, surgiu a *Ode triunfal* de Álvaro

> de Campos – a ode com esse nome e o homem com o nome que tem. Criei, então, uma *coterie* inexistente. Fixei aquilo tudo em moldes de realidade. Graduei as influências, conheci as amizades, ouvi, dentro de mim, as discussões e as divergências de critérios, e em tudo isto me parece que fui eu, criador de tudo, o menos que ali houve. Parece que tudo se passou independentemente de mim. E parece que assim ainda se passa. [...]Eu *vejo* diante de mim, no espaço incolor mas real do sonho, as caras, os gestos de Caeiro, Ricardo Reis e Álvaro de Campos. Construí-lhes as idades e as vidas. (Carta a Casais Monteiro, janeiro de 1935)

Ou seja, em 8 de março de 1914 nascem os heterônimos Alberto Caeiro – que ele logo toma por seu mestre –, Ricardo Reis e Álvaro de Campos; nascem dele, com suas respectivas obras.

Por que heterônimos, e não pseudônimos? Porque, quando usa um pseudônimo, um poeta se esconde atrás de um nome falso. É para esconder o nome verdadeiro que o pseudônimo existe. O heterônimo, ao contrário, não esconde ninguém, é um personagem, criado pelo poeta, que escreve a sua própria obra. Tem nome próprio, obra própria, biografia própria e, sobretudo, um estilo próprio. Esse nome, essa obra, essa biografia e esse estilo são diferentes do nome, da obra, da biografia e do estilo do poeta criador do personagem. Ao criador do heterônimo se dá o nome de ortônimo; foi Fernando Pessoa quem criou essa designação e é o único caso de heteronímia na literatura universal.

E quem são esses heterônimos, esses personagens criados por Pessoa? Deixemos que o poeta mesmo os apresente como os "vê", tal como o fez na carta a Casais Monteiro, em 1935:

> Alberto Caeiro nasceu em 1889 e morreu em 1915; nasceu em Lisboa, mas viveu quase toda a sua vida no cam-

po. Não teve profissão nem educação quase alguma.[...] Caeiro era de estatura média, e, embora realmente frágil (morreu tuberculoso), não parecia tão frágil como era. [...]Cara rapada todos – o Caeiro louro sem cor, olhos azuis; [...]Caeiro, como disse, não teve mais educação que quase nenhuma – só instrução primária; morreram--lhe cedo o pai e a mãe, e deixou-se ficar em casa, vivendo de uns pequenos rendimentos. Vivia com uma tia velha, tia-avó.[...]Como escrevo em nome desses três?... Caeiro, por pura e inesperada inspiração, sem saber ou sequer calcular o que iria escrever [...]Caeiro escrevia mal o português [...].

Quanto a Ricardo Reis:

Ricardo Reis nasceu em 1887 (não me lembro do dia e mês, mas tenho-os algures) no Porto, é médico e está presentemente no Brasil. [...]Ricardo Reis é um pouco, mas muito pouco, mais baixo, mais forte, mas seco. (Do que Caeiro, que era de estatura média) [...].
Cara rapada todos - [...] Reis de um vago moreno mate; [...] Ricardo Reis, educado num colégio de jesuítas, é, como disse, médico; vive no Brasil desde 1919, pois se expatriou espontaneamente por ser monárquico. É um latinista por educação alheia, e um semi-helenista por educação própria.[...]Como escrevo em nome desses três? [...] Ricardo Reis, depois de uma deliberação abstrata, que subitamente se caracteriza numa ode.[...]Reis escreve melhor do que eu, mas com um purismo que considero exagerado.

Quanto a Álvaro de Campos:

[...]Álvaro de Campos (o mais histericamente histérico de mim) [...]Álvaro de Campos nasceu em Tavira, no dia 15 de outubro de 1890 (à 1:30 da tarde, diz-me o Ferreira Gomes; e é verdade, pois, feito o horóscopo para essa hora, está certo). Este, como sabe, é engenheiro naval (por Glasgow), mas agora está aqui em Lisboa em inatividade.[...]Álvaro de Campos é alto (1,75 m de altura, mais 2 cm do que eu), magro e um pouco tendente a curvar-se. Cara rapada todos – [...] Campos entre branco e moreno, tipo vagamente de judeu português, cabelo, porém, liso e normalmente apartado ao lado, monóculo. [...]Álvaro de Campos teve uma educação vulgar de liceu; depois foi mandado para a Escócia estudar engenharia, primeiro mecânica e depois naval. Numas férias fez a viagem ao Oriente de onde resultou o *Opiário*. Ensinou-lhe latim um tio beirão que era padre. Como escrevo em nome desses três?[...] Campos, quando sinto um súbito impulso para escrever e não sei o quê.[...] Caeiro escrevia mal o português, Campos razoavelmente mas com lapsos como dizer "eu próprio" em vez de "eu mesmo" etc. [...] O difícil para mim é escrever a prosa de Reis – ainda inédita – ou de Campos. A simulação é mais fácil, até porque é mais espontânea, em verso.

E, embora criações suas, são, de fato, poetas diferentes de Fernando Pessoa, na medida em que cada um deles possui uma forma diferente de estar no mundo e transforma esse estar em verso. E, mais ainda, é interessante observar a coerência existente entre a biografia deles e sua obra. Caeiro é o homem ligado à natureza, ele só acredita mesmo no que ouve e no que vê. Para ele, não existe mistério:

> O que nós vemos das coisas são as coisas.
> Por que veríamos nós uma coisa se houvesse outra?
> Por que é que ver e ouvir seria iludirmo-nos
> Se ver e ouvir são ver e ouvir?
>
> O essencial é saber ver,
> Saber ver sem estar a pensar,
> Saber ver quando se vê,
> E nem pensar quando se vê,
> Nem ver quando se pensa. [...]

Ricardo Reis faz uma poesia clássica, pagã, preocupada com a passagem tão rápida do tempo, que tudo aniquila, no melhor estilo do poeta da Antiguidade, Horácio:

> Tão cedo passa tudo quanto passa!
> Morre tão jovem ante os deuses quanto
> Morre! Tudo é tão pouco!
> Nada se sabe, tudo se imagina.
> Circunda-te de rosas, ama, bebe
> E cala. O mais é nada.

Álvaro de Campos, ao contrário de Reis, é o poeta da modernidade, da euforia e do desencanto da modernidade; é o poeta da irreverência total a tudo e a todos:

> **LISBON REVISITED**
> Não: não quero nada.
> Já disse que não quero nada.
>
> Não me venham com conclusões!
> A única conclusão é morrer.
>
> Não me tragam estéticas!
> Não me falem em moral!
> Tirem-me daqui a metafísica!
> Não me apregoem sistemas completos, não me enfileirem conquistas
> Das ciências (das ciências, Deus meu, das ciências!) –
> Das ciências, das artes, da civilização moderna!
>
> Que mal fiz eu aos deuses todos?
>
> Se têm a verdade, guardem-na [...]

E há ainda um semi-heterônimo, Bernardo Soares, o ajudante de guarda-livros de um escritório de Lisboa. Por que semi-heterônimo? Pessoa explica:

> É um semi-heterônimo porque, não sendo a personalidade a minha, é, não diferente da minha, mas uma

simples mutilação dela. Sou eu menos o raciocínio e a afetividade. A prosa, salvo o que o raciocínio dá de *tênue* à minha, é igual a esta, e o português perfeitamente igual...

O ano de 1915 foi outro ano importante na vida deste poeta múltiplo e genial e na Literatura Portuguesa do século XX: o ano da criação da revista *Orpheu*, que revoluciona a criação literária portuguesa, dando início ao Modernismo naquele país. A revista tem apenas dois números publicados (o terceiro viria a público somente na década de 80). Isso, entretanto, não desanima Pessoa; o que o deixa verdadeiramente deprimido é o suicídio do amigo Mário, no ano seguinte, em Paris. Então, além da sua própria produção, publicada sobretudo em revistas como *Portugal Futurista*, Fernando Pessoa toma para si o encargo de organizar a obra de Sá-Carneiro.

O poeta conhece, em 1920, a secretária Ophélia Queiroz, a quem passa a namorar. Nesse mesmo ano, em outubro, atravessa uma depressão tão profunda que chega a pensar em internar-se numa casa de saúde. Rompe com Ophélia. Sua mãe, Madalena, morre em 17 de março de 1925. Seu próprio estado psicológico inquieta o poeta e ele escreve a um amigo manifestando o desejo de ser hospitalizado. É interessante observar que Pessoa era perseguido por uma espécie de consciência de seu estado psíquico, tanto que, quando, pouco antes de morrer, ele escreve a carta ao crítico Adolfo Casais Monteiro explicando como nasceram os heterônimos, ele diz, ainda que ironizando, que é um histeroneurastênico:

> Há em mim fenômenos de abulia que a histeria, propriamente dita, não enquadra no registo dos seus sintomas. Seja como for, a origem mental dos meus heterônimos está na minha tendência orgânica e constante para a despersonalização e para a simulação. Estes fenômenos – fe-

lizmente para mim e para os outros – mentalizaram-se em mim; quero dizer, não se manifestam na minha vida prática, exterior e de contato com outros; fazem explosão para dentro e vivo-os eu a sós comigo. Se eu fosse mulher – na mulher os fenômenos histéricos rompem em ataques e cousas parecidas – cada poema de Álvaro de Campos (o mais histericamente histérico de mim) seria um alarme para a vizinhança. Mas sou homem – e nos homens a histeria assume principalmente aspectos mentais; assim tudo acaba em silêncio e poesia...

Nesse momento, está nascendo em Portugal uma outra geração literária. Em 1927, é publicada a revista *Presença*, e com ela tem início o Presencismo, ou o segundo Modernismo português. Um dos grandes feitos dessa nova geração de poetas é o reconhecimento de Fernando Pessoa como seu mestre, fazendo com que Portugal comece a olhar com outros olhos para o seu maior poeta do século. É um momento importante para Fernando Pessoa que, em 1929, volta a se relacionar com Ophélia. Nesse mesmo ano, publica fragmentos do *Livro do desassossego*, creditando-os a Bernardo Soares. O namoro com Ophélia, porém, não prospera e, no ano seguinte, há o rompimento definitivo. Curiosamente, tudo indica que o problema foi o ciúme levantado por Álvaro de Campos, o heterônimo.

O ano de 1931 traz consigo o poema "Autopsicografia", talvez o poema mais conhecido do autor:

> O poeta é um fingidor.
> Finge tão completamente
> Que chega a fingir que é dor
> A dor que deveras sente.
>
> E os que leem o que escreve,
> Na dor lida sentem bem,
> Não as duas que ele teve,
> Mas só a que eles não têm.

> E assim nas calhas de roda
> Gira, a entreter a razão,
> Esse comboio de corda
> Que se chama o coração.

Aí, o poeta explica o que para ele é a criação de um poema, sugerindo que existem duas dores, a que o poeta sente e a que ele cria na poesia, e é a segunda que o torna um fingidor. E foi o que Fernando Pessoa fez: fingiu tão completamente ser outros que não conseguiu encontrar a si mesmo. Mas isso se justifica: para o poeta, o fingimento é a forma de chegar à verdade essencial, e só se pode chegar à verdade essencial através do poema.

O ano anterior ao da sua morte é um ano profícuo. Há como que uma espécie de retorno à simplicidade das coisas, e o poeta escreve mais de trezentas quadras populares. É também nesse ano que Pessoa finaliza *Portugal*, o poema épico português do século XX que depois será chamado de *Mensagem*, e o inscreve no Prêmio Antero de Quental, concurso literário instituído pelo Secretariado Nacional de Propaganda. Fernando Pessoa fica apenas em segundo lugar: seu livro tinha um número muito reduzido de páginas e não atendia à orientação do Estado Novo, a ditadura de Salazar. A obra vencedora foi *Romaria*, uma seleção de poemas do Padre Vasco Reis, hoje totalmente desconhecido.

Em 1935, Fernando Pessoa escreve a famosa carta ao crítico Adolfo Casais Monteiro, datada de 13 de janeiro, em que explica como nasceram os heterônimos e na qual se revela um ocultista, um místico. É uma espécie de revelação final, apoteótica. Em 29 de novembro, é internado no hospital com o diagnóstico de cólica hepática. A sua última frase, escrita em inglês, é: "*I know not what tomorrow will bring*" (Eu não sei o que o amanhã trará). Seu último pedido, em português, foi para que lhe alcançassem os óculos. Morre no dia 30 de novembro de 1935, às 20h30, aos 47 anos, de cirrose hepática.

Deixou toda sua obra – mais de 27 mil papéis – dentro de uma grande arca, comprada pelo Estado português em 1979 e depositada na Biblioteca Nacional e reprivatizada há cerca de nove anos. Esses documentos vêm sendo estudados e divulgados por uma equipe coordenada por Teresa Rita Lopes, sob a chancela da editora Assírio & Alvim. São ensaios, mais de mil poemas, três heterônimos, um semi-heterônimo desdobrado em dois (Vicente Guedes e Bernardo Soares), mais de setenta pequenos heterônimos (sem obra consistente), cartas, contos, teatro, textos políticos, notas etc. É a obra do fingidor, do polêmico, do criador de vanguardas, do ocultista, do poeta dramático, do poeta das quadras populares e do questionador em busca de ser, que foi tanto a sua criação que se perdeu de si mesmo:

> Quem sou, que assim me caminhei sem eu
> Quem são, que assim me deram aos bocados
> À reunião em que acordo e não sou meu?

Logo após a morte do poeta, o irmão João Nogueira faz uma conferência e afirma que ninguém na família adivinhava que Fernando Pessoa, "uma pessoa muito inteligente e muito divertida", "resultaria em gênio...". A verdade é que o mundo também levou muito tempo para descobrir.

Poesias inéditas

APRESENTAÇÃO

Jane Tutikian

SOBRE AS POESIAS INÉDITAS

Dizer que Fernando Pessoa é um dos poetas mais geniais do século XX e de todos os tempos não é novidade; a novidade é a descoberta – quase interminável – dos textos deste poeta de tantas faces aparentes e de uma única, a verdadeira, oculta em poesia.

Jorge de Sena escreveu a respeito de Pessoa um texto a que chamou "O homem que nunca existiu" (1977); Michel Schneider escreveu "Personne" (ninguém) (1984) e Leyla Perrone-Moisés, "Pessoa ninguém?", de (1990).

Jorge de Sena fala de um heterônimo especial: Fernando Antônio Nogueira Pessoa e afirma que Fernando Pessoa escolheu "não ser" e o não ser está vinculado à incapacidade que teve para viver a vida real.[1] Em outras palavras, viveu de poesia.

Leyla Perrone-Moisés considera que Fernando Pessoa foi ninguém porque se anulou social e existencialmente na medida em que viveu para se "outrar" (usando a expressão do próprio poeta), viveu a experiência da alteridade absoluta e esqueceu de si.

Michel Schneider foi mais claro na questão: "Tudo (verdade, realidade, ficção) foi tão confuso e enovelado que é literalmente impossível identificar a santa trilogia – o autor, a vida e a obra. Pessoa não teve história que se possa contar. Não apenas porque teve várias, mas por

---

1. SENA, Jorge. *Fernando Pessoa & Cia. Heterônima.* Lisboa: Edições 70, 2000, p. 179.

uma espécie de ausência secreta de si mesmo, a qual talvez fosse apenas o outro nome da poesia".[2]

De fato, a história de Fernando Pessoa se confunde com a própria poesia. Que outro poeta deixou uma arca com cerca de 30 mil inéditos? A famosa arca que incendeia o imaginário daqueles que são apaixonados pela obra do poeta é real e dela não param de sair textos – em prosa e em poesia, mais em prosa do que em poesia.

Na verdade, o espólio do poeta, além de 29 cadernos, compreende 25.426 originais: 18.816 textos manuscritos, 3.498 textos datilografados e 2.662 textos datilografados com anotações, sobrepostas ou à margem, feitas de próprio punho.

É só nos anos 50 (Fernando Pessoa morreu em 1935) que uma parte das poesias inéditas começa a vir à luz, enquanto outra (as novas poesias inéditas) surgiria bem mais tarde, nos anos 70. Daí por diante, volta e meia, quando se pensa que tudo foi revelado, surge um inédito. Calcula-se hoje que cerca de 30% do espólio não tenham sido trazidos ainda a público, ou seja, uma quantidade grande de material que vai encantar os leitores, feito novidade, ainda por décadas. É o inesgotável Fernando Pessoa.

Vários pesquisadores de renome constituíram a Equipa Pessoa, equipe que se dedicou ao exame do material deixado na arca – um trabalho quase insano. O poeta escrevia em qualquer papel, em recibos comerciais inclusive, e em muitos papéis há pedaços de diferentes textos, com uma grafia de difícil entendimento. Como se não bastasse, há projetos inconclusos e textos em português, inglês (não esqueçamos que Fernando Pessoa passou a infância e parte da adolescência em Durban, na África do Sul) e francês, que aprendeu já adulto em seu retorno a Portugal.

---

2. Citado por Bréchon em *Fernando Pessoa: estranho estrangeiro*. Rio de Janeiro: Record, 1998, p. 14.

Aqueles e outros pesquisadores – o material, hoje, se encontra na Biblioteca Nacional de Lisboa – trataram de desvendar os textos, estudar os estilos e atribuir autoria, o que, convenhamos, não é um trabalho fácil quando diz respeito a um poeta/ortônimo que criou três heterônimos (Alberto Caeiro, Ricardo Reis e Álvaro de Campos), um semi-heterônimo (Bernardo Soares) e mais de uma centena de personalidades literárias. É como se chega aos inéditos: pelo estilo e pela impossibilidade das poesias serem atribuídas aos heterônimos ou personalidades. Mas há mais e há sempre o "eu" como busca essencial, o tema recorrente da poética pessoana.

Fernando Pessoa é sempre a expressão dramática de uma busca: "Meu ser vive na Noite e no Desejo. /Minha alma é uma lembrança que há em mim"[3]. Para afirmar que: "Longe de mim em mim existo/ À parte de quem sou,/A sombra e o movimento em que consisto"[4]. Ou então:

> Entre mim e o que sou há a escuridão.
> Mas o que são a isto a terra e o céu?
>
> Houvesse ao menos, visto que a verdade
> É falsa, qualquer coisa verdadeira
> De outra maneira
> Que a impossível certeza ou realidade.[5]

Na verdade, Fernando Pessoa é um sujeito em crise, é um sujeito em busca, incapaz de encontrar-se e buscando-se, sempre, num plano poético, mas racional. É em torno dessa busca, às vezes angustiada, de saber quem é que ele arma suas poesias, e embora a busca seja sempre a mesma, uma vez que consente que:

---

3. Poesia datada de 12 de dezembro de 1919.
4. Poesia datada de 1920.
5. Poesia datada de 10 de julho de 1920.

> Quando era jovem, eu a mim dizia:
> Como passam os dias, dia a dia,
> E nada conseguido ou intentado!
> Mais velho, digo, com igual enfado:
> Como, dia após dia, os dias vão,
> Sem nada feito e nada na intenção!
> Assim, naturalmente, envelhecido,
> Direi, e com igual voz e sentido:
> Um dia virá o dia em que já não
> Direi mais nada.
> Quem nada foi nem é não dirá nada.[6]

E aí reside a genialidade do poeta: embora a busca seja sempre a mesma, aquela que se repete exaustivamente, o poema é sempre novo, porque jogado sempre em uma nova expressão poética.

O único real de Fernando Pessoa – porque não sabe lidar com o "real-real", que só percebe como símbolo ou representação de outra coisa oculta – é o seu texto. É só no texto que o fingidor identifica, no fingimento, "a dor que deveras sente"[7] e se reconhece assim: "Nestas sombras de me sentir existo,/ E é falsa a teia que tecer me tece"[8]. Ele é a própria contradição e, à parte isso, sempre, muitas outras coisas: o que já se revelou e o que os inéditos, na medida em que forem sendo divulgados, revelarão.

---

6. Poesia datada de 1921.

7. "Autopsicografia".

8. "Poema dos dois exílios".

Poesias inéditas

Pousa um momento,
Um só momento em mim,
Não só o olhar, também o pensamento.
Que a vida tenha fim
Nesse momento!

No olhar a alma também
Olhando-me, e eu a ver
Tudo quanto de ti teu olhar tem.
A ver até esquecer
Que tu és tu também

Só tua alma sem tu
Só o teu pensamento
E eu vendo, alma sem eu. Tudo o que sou
Ficou com o momento
E o momento parou.

(12/12/1919)

*

Meu ser vive na Noite e no Desejo.
Minha alma é uma lembrança que há em mim.

(12/12/1919)

*

A lembrada canção.
Amor, renova agora,
Na noite, olhos fechados, tua voz
Dói-me no coração

Por tudo quanto chora.
Cantas ao pé de mim, e eu estou a sós.

Não, a voz não é tua
Que se ergue e acorda em mim
Murmúrios de saudade e de inconstância,
O luar não vem da lua
Mas do meu ser afim
Ao mito, à mágoa, à ausência e à distância.

Não, não é teu o canto
Que como um astro ao fundo
Da noite imensa do meu coração
Chama em vão, chama tanto...
Quem, sou não sei... e o mundo?...
Renova, amor, a antiga e vã canção.

Cantas mais que por ti.
Tua voz é uma ponte
Por onde passa, inúmero, um segredo
Que nunca recebi –
Murmúrio do horizonte,
Água na noite, morte que vem cedo.

Assim, cantas sem que existas.
Ao fim do luar pressinto
Melhores sonhos que este da ilusão.

(1/1/1920)

*

Longe de mim em mim existo
À parte de quem sou,
A sombra e o movimento em que consisto.

(1920)

*

Pudesse eu como o luar
Sem consciência encher
A noite e as almas e inundar
A vida de não pertencer!

(1920)

*

Tudo quanto sonhei tenho perdido
Antes de o ter.
Um verso ao menos fique do inobtido,
Música de perder.

Pobre criança a quem não deram nada,
Choras? É em vão.
Como tu choro à beira da erma estrada.
Perdi o coração.

A ti talvez, que não te têm dado.
Darão enfim...
A mim... Sei que eu que duro e inato fado
Me espera a mim?

(1920)

*

Outros terão
Um lar, quem saiba, amor, paz, um amigo.
A inteira, negra e fria solidão
Está comigo.

A outros talvez
Há alguma coisa quente, igual, afim
No mundo real. Não chega nunca a vez
Para mim.

"Que importa?"
Digo, mas só Deus sabe que o não creio.
Nem um casual mendigo à minha porta
Sentar-se veio,

"Quem tem de ser?"
Não sofre menos quem o reconhece.
Sofre quem finge desprezar sofrer
Pois não esquece.

Isto até quando?
Só tenho por consolação
Que os olhos se me vão acostumando
À escuridão.

(13/1/1920)

*

Cansado até dos deuses que não são...
Ideais, sonhos... Como o sol é real
E na objetiva coisa universal
    Não há o meu coração...
    Eu ergo a mão.
Olho-a de mim, e o que ela é não sou eu.
Entre mim e o que sou há a escuridão.
Mas o que são a isto a terra e o céu?

Houvesse ao menos, visto que a verdade
É falsa, qualquer coisa verdadeira
    De outra maneira
Que a impossível certeza ou realidade.

Houvesse ao menos, som o sol do mundo,
Qualquer postiça realidade não

O eterno abismo sem fundo,
Crível talvez, mas tenho coração.

Mas não há nada, salvo tudo sem mim.
Crível por fora da razão, mas sem
Que a razão acordasse e visse bem;
Real com coração, inda que [...]

(10/7/1920)

*

Os deuses são felizes.
Vivem a vida calma das raízes.
Seus desejos o Fado não oprime.
Ou, oprimindo, redime
Com a vida imortal.
Não há
Sombras ou outros que os contristem.
E, além disto, não existem...

(10/7/1920)

*

Cai chuva. É noite. Uma pequena brisa
    Substitui o calor.
P'ra ser feliz tanta coisa é precisa.
    Este luzir é melhor.

O que é a vida? O espaço é alguém para mim.
    Sonhando sou eu só.
A luzir, em quem não tem fim
    E, sem querer, tem dó.

Extensa, leve, inútil passageira,
    Ao roçar por mim traz

Uma ilusão de sonho, em cuja esteira
    A minha vida jaz.

Barco indelével pelo espaço da alma,
    Luz da candeia além
Da eterna ausência da ansiada calma,
    Final do inútil bem.

Que se quer, e, se veio, se desconhece
    Que, se for, seria
O tédio de o haver... E a chuva cresce
    Na noite agora fria.

                          (18/9/1920)

*

Ah, sempre no curso leve do tempo pesado
A mesma forma de viver!
O mesmo modo inútil de 'star enganado
Por crer ou por descrer!

Sempre, na fuga ligeira da hora que morre,
A mesma desilusão
Do mesmo olhar lançado do alto da torre
Sobre o plaino vão!

Saudade, 'sperança – muda o nome, fica
Só a alma vã
Na pobreza de hoje a consciência de ser rica
Ontem ou amanhã.

Sempre, sempre, no lapso indeciso e constante
Do tempo sem fim
O mesmo momento voltando improfícuo e distante
Do que quero em mim!

Sempre, ou no dia ou na noite, sempre – seja
Diverso – o mesmo olhar de desilusão
Lançado do alto da torre da ruína da igreja
Sobre o plaino vão!

(1/1/1921)

*

Cansa ser, sentir dói, pensar destrui.
Alheia a nós, em nós e fora,
Rui a hora, e tudo nela rui.
Inutilmente a alma o chora.

De que serve? O que é que tem que servir?
Pálido esboço leve
Do sol de inverno sobre meu leito a sorrir...
Vago sussurro breve.

Das pequenas vozes com que a manhã acorda,
Da fútil promessa do dia,
Morta ao nascer, na 'sperança longínqua e absurda
Em que a alma se fia.

(1/1/1921)

*

Tornar-te-ás só quem tu sempre foste.
O que te os deuses dão, dão no começo.
    De uma só vez o Fado[9]
    Te dá o fado[10], que é um.

A pouco chega pois o esforço posto
Na medida da tua força nata –

---

9. Destino.
10. Sorte.

A pouco, se não foste
Para mais concebido.

Contenta-te com seres quem não podes
Deixar de ser. Ainda te fica o vasto
    Céu p'ra cobrir-te, e a terra,
    Verde ou seca a seu tempo.

O fausto repudio, porque o compram.
O amor porque acontece.
    Comigo fico, talvez, não contente.
    Porém nato e sem erro.

Eu não procuro o bem que me negaram.
As flores dos jardins herdadas de outros.
    Como hão de mais que perfumar de longe
    Meu desejo de tê-las?

Não quero a fama, que comigo a têm
Erostrato[11] e o pretor[12]
    Ser olhado de todos – que se eu fosse
    Só belo, me olhariam.

(12/5/1921)

*

Qualquer caminho leva a toda parte,
Qualquer caminho
Em qualquer ponto seu em dois se parte
E um leva aonde indica a 'strada
Outro é sozinho.
Um leva ao fim da mera 'strada, para
Onde acabou.
Outro é abstrata margem

---

11. Incendiou e destruiu o templo de Artemis em Éfeso, uma das sete maravilhas do mundo antigo.
12. Antigo magistrado romano.

....
No inútil desfilar de sensações
Chamado a vida,
No cambalear coerente de visões
Do [...]

Ah! os caminhos 'stão todos em mim.
Qualquer distância ou direção, ou fim
Pertence-me, sou eu. O resto é a parte
De mim que chamo o mundo exterior.
Mas o caminho deus eis se biparte
Em o que eu sou e o alheio a mim
[...]

(1921)

*

Ó curva do horizonte, quem te passa,
Passa da vista, vão de ser ou 'star.
Seta, que o peito enorme me transpassa.
Não doas, que morrer é continuar.

Não vejo mais esse a quem quis. A taça,
De ouro, não se partiu. Caída ao mar
Sumiu-se, mas no fundo é a mesma graça
Oculta para nós, mas sem mudar.

Ó curva do horizonte, eu me aproximo,
Para quem deixo, um dia cessarei
Da vista do último no último cimo,

Mas para mim o mesmo eterno irei
Na curva, até que o tempo a espera
E aonde estive um dia voltarei.

(13/8/1921)

*

Vento que passas
Nos pinheirais
Quantas desgraças
Lembram teus ais.

Quanta tristeza,
Sem o perdão
De chorar, pesa
No coração.

E ó vento vago
Das solidões
Traze um afago
Aos corações.

À dor que ignoras
Presta os teus ais,
Vento que choras
Nos pinheirais.

(21/8/1921)

*

Quando era jovem, eu a mim dizia:
Como passam os dias, dia a dia,
E nada conseguido ou intentado!
Mais velho, digo, com igual enfado:
Como, dia após dia, os dias vão,
Sem nada feito e nada na intenção!
Assim, naturalmente, envelhecido,
Direi, e com igual voz e sentido:
Um dia virá o dia em que já não
Direi mais nada.
Quem nada foi nem é não dirá nada.

(1921)

*

Sepulto vive quem é a outrem dado.
E quem ao outrem que há em si, sepulto
Não poderei, Senhor, alguma vez
Desalgemar de mim as minhas mãos?

(1921)

*

A parte do indolente é a abstrata vida.
Quem não emprega o esforço em conseguir.
Mas o deixa ficar, deixa dormir,
O deixa sem futuro e sem guarida,

Que mais haurir pode da morta lida,
Da sentida vaidade de seguir
Um caminho, da inércia de sentir,
Do extinto fogo e da visão perdida,

Senão a calma aquiescência em ter
No sangue entregue, e pelo corpo todo
A consciência de nada qu'rer nem ser,

A intervisão das coisas atingíveis,
E o renunciá-las, como um lindo modo
Das mãos que a palidez torna impassíveis.

(30/9/1921)

*

É uma brisa leve
Que o ar um momento teve
E que passa sem ter
Quase por tudo ser.
Quem amo não existe.

Vivo indeciso e triste.
Quem quis ser já me esquece
Quem sou não me conhece.

E em meio disto o aroma
Que a brisa traz me assoma
Um momento a consciência
Como uma confidência.

(18/5/1922)

*

Não tragas flores, que eu sofro...
Rosas, lírios, ou vida...
Tênue e insensível sopro.
O céu que se não olvida!

Não tragas flores, nem digas...
Sempre há de haver cessar...
Deixa tudo acabar...
Cresceram só urtigas.

(18/5/1922)

*

Os deuses, não os reis, são os tiranos.
É a lei do Fado, a única que oprime.
Pobre criança de maduros anos,
Que pensas que há revolta que redime!
Enquanto pese, e sempre pesará,
Sobre o homem a serva condição
De súbdito do Fado.

(27/5/1922)

*

Ah, já está tudo lido.
Mesmo o que falta ler!
Sonho, e ao meu ouvido
Que música vem ter?

Se escuto, nenhuma.
Se não ouço ao luar
Uma voz que é bruma
Entra em meu sonhar.

E esta é a voz que canta
Se não sei ouvir...
Tudo em mim se encanta
E esquece sentir.

O que a voz canta
Para sempre agora
Na alma me fica
Se a alma me ignora.

Sinto, quero, sei-me
Só há ter perdido –
E o eco onde sonhei-me
Esquece do meu ouvido.

(7/9/1922)

*

Ah, toca suavemente
Como a quem vai chorar
Qualquer canção tecida
De artifício e de luar –
Nada que faça lembrar
    A vida.

Prelúdio de cortesias.
Ou sorriso que passou...
Jardim longínquo e frio...
E na alma de quem o achou
Só o eco absurdo do voo
    Vazio.

(8/11/1922)

*

Hoje, neste ócio incerto
Sem prazer nem razão,
Como a um túmulo aberto
Fecho meu coração.

Na inútil consciência
De ser inútil tudo,
Fecho-o, contra a violência
Do mundo duro e rudo.

Mas que mal sofre um morto?
Contra que defendê-lo?
Fecho-o, em fechá-lo absorto,
E sem querer sabê-lo.

(9/2/1923)

*

POEMAS DOS DOIS EXÍLIOS

1

Paira no ambíguo destinar-se
Entre longínquos precipícios,
A ânsia de dar-se preste a dar-se
Na sombra vaga entre suplícios,

Roda dolente do parar-se
Para, velados sacrifícios,
Não ter terraços sobre errar-se
Nem ilusões com interstícios,

Tudo velado, e o ócio a ter-se
De leque em leque, a aragem fina
Com consciência de perder-se...

Tamanha a flama e pequenina
Pensar na mágoa japonesa
Que ilude as sirtes[13] da Certeza.

2

Dói viver, nada sou que valha ser.
Tardo-me porque penso e tudo rui.
Tento saber, porque tentar é ser.
Longe de isto ser tudo, tudo flui,

Mágoa que, indiferente, faz viver.
Névoa que, diferente, em tudo influi.
O exílio nado do que fui sequer
Ilude, fixa, dá, faz ou possui.

Assim, noturno, a árias indecisas,
O prelúdio perdido traz à mente
O que das ilhas mortas foi só brisas,

E o que a memória análoga dedica
Ao sonho, e onde, lua na corrente,
Não passa o sonho e a água inútil fica.

---

13. No sentido de perigo.

3

Análogo começo.
Uníssono me peço.
Gaia[14] ciência o assomo –
Falha no último tomo.

Onde prolixo ameaço
Paralelo transpasso
O entreaberto haver
Diagonal a ser.

E interlúdio vernal[15],
Conquista do fatal,
Onde, veludo, afaga
A última que alaga.

Timbre do vespertino.
Ali, carícia, o hino
Outonou entre preces,
Antes que, água, comeces.

4

Doura o dia. Silente, o vento dura.
Verde as árvores, mole a terra escura,
Onde flores, vazia a álea e os bancos.
No pinal[16] erva cresce nos barrancos.
Nuvens vagas no pérfido horizonte.
O moinho longínquo no ermo monte.
Eu alma, que contempla tudo isto,
Nada conhece e tudo reconhece.

---

14. Deusa Terra.
15. Relativo à primavera.
16. Pinhal.

Nestas sombras de me sentir existo,
E é falsa a teia que tecer me tece.

(24/9/1923)

*

Ouço passar o vento na noite.
Sente-se no ar, alto, o açoute
De não sei quem em não sei quê.
Tudo se ouve, nada se vê.

Ah, tudo é igualdade e analogia.
O vento que passa, esta noite fria.
São outra coisa que a noite e o vento –
Sonhos de Ser e de Pensamento.

Tudo nos narra o que nos não diz.
Não sei que drama a pensar desfiz
Que a noite e o vento passados são.
Ouvi. Pensando-o, ouvi-o em vão.

Tudo é uníssono e semelhante.
O vento cessa e, noite adiante,
Começa o dia e ignorado existo.
Mas o que foi não é nada isto.

(24/9/1923)

*

EU

Sou louco e tenho por memória.
Uma longínqua e infiel lembrança
De qualquer dita transitória
Que sonhei ter quando criança.

Depois, malograda trajetória
Do meu destino sem esperança,
Perdi, na névoa da noite inglória,
O saber e o ousar da aliança.

Só guardo como um anel pobre
Que a lodo o herdado só faz rico
Um frio perdido que me cobre

Como um céu dossel de mendigo,
Na curva inútil em que fico
Da estrada certa que não sigo.

(24/9/1923)

*

Dormir! Não ter desejos nem 'speranças
Flutua branca a única nuvem lenta
E na azul quiescência sonolenta
A deusa do não ser tece ambas as trancas.

Maligno sopro de árdua quietude
Perene a fronte e os olhos aquecidos,
E uma floresta-sonho de ruídos
Ensombra os olhos mortos de virtude.

Ah, não ser nada conscientemente!
Prazer ou dor? Torpor o traz e alonga,
E a sombra conivente se prolonga
No chão interior, que à vida mente.

Desconheço-me. Embrenha-me, futuro,
Nas veredas sombrias do que sonho.
E no ócio em que diverso me suponho,
Vejo-me errante, demorado e obscuro.

Minha vida fecha-se como um leque.
Meu pensamento seca como um vago
Ribeiro no verão. Regresso, e trago
Nas mãos flores que a vida prontas seque.

Incompreendida vontade absorta
Em nada querer... Prolixo afastamento
Do escrúpulo e da vida do momento...

(21/8/1924)

*

Mendigo do que não conhece.
Meu ser na 'strada sem lugar
Entre estragos amanhece...
Caminha só sem procurar...

(1924)

*

Ah quanta melancolia!
Quanta, quanta solidão!
Aquela alma, que vazia,
Que sinto inútil e fria
Dentro do meu coração!

Que angústia desesperada!
Que mágoa que sabe a fim!
Se a nau foi abandonada,
E o cego caiu na estrada –
Deixai-os, que é tudo assim.

Sem sossego, sem sossego,
Nenhum momento de meu
Onde for que a alma emprego

Na estrada morreu o cego
A nau desapareceu.

(3/9/1924)

*

Meus dias passam, minha fé também.
Já tive céus e estrelas em meu manto.
As grandes horas, se as viveu alguém,
Quando as viveu, perderam já o encanto.

(1924)

*

Flor que não dura
Mais do que a sombra dum momento
Tua frescura
Persiste no meu pensamento.

Não te perdi
No que sou eu,
Só nunca mais, ó flor, te vi
Onde não sou senão a terra e o céu.

(1924)

*

Aqui neste profundo apartamento
Em que, não por lugar, mas mente estou,
No claustro de ser eu, neste momento
Em que me encontro e sinto-me o que vou,

Aqui, agora, rememoro
Quanto de mim deixei de ser
E, inutilmente, [...] choro
O que sou e não pude ter.

(1924)

*

LIGEIA

Não quero ir onde não há luz,
De sob a inútil gleba não ver nunca
As flores, nem o curso ao sol dos rios,
Nem como as estações que se renovam
Reiteram a terra. Já me pesa
Nas pálpebras que tremem o oco medo
De nada ser, e nem ter vista ou gosto,
Calor, amor, o bem e o mal da vida.

(1924)

*

Nas entressombras de arvoredo
Onde mosqueia a incerta luz
E a noite ocupa a medo
O incerto espaço em que transluz...

(1924)

*

GLOSAS

Toda a obra é vã, e vã a obra toda.
O vento vão, que as folhas vãs enroda,
Figura nosso esforço e nosso estado.
O dado e o feito, ambos os dá o Fado.

Sereno, acima de ti mesmo, fita
A possibilidade erma e infinita

De onde o real emerge inutilmente,
E cala, e só para pensares sente.

Nem o bem nem o mal define o mundo.
Alheio ao bem e ao mal, do céu profundo
Suposto, o Fado que chamamos Deus
Rege nem bem nem mal a terra e os céus.

Rimos, choramos através da vida.
Uma coisa é uma cara contraída
E a outra uma água com um leve sal.
E o Fado fada alheio ao bem e ao mal.

Doze signos do céu o Sol percorre,
E, renovando o curso, nasce e morre
Nos horizontes do que contemplamos.
Tudo em nós é o ponto de onde estamos.

Ficções da nossa mesma consciência,
Jazemos o instinto e a ciência.
E o sol parado nunca percorreu
Os doze signos que não há no céu.

(14/8/1925)

*

AMIEL[17]

Não, nem no sonho a perfeição sonhada
Existe, pois que é sonho. Ó Natureza,
Tão monotonamente renovada,
Que cura dás a esta tristeza?
O esquecimento temporário, a estrada

---

17. Deus das pessoas.

Por engano tomada,
O meditar na ponte e na incerteza...

Inúteis dias que consumo lentos
No esforço de pensar na ação,
Sozinho com meus frios pensamentos
Nem com uma 'sperança mão em mão.

É talvez nobre ao coração
Este vazio ser que anseia o mundo,
Este prolixo ser que anseia em vão,
Exâmine[18] é profundo.

Tanta grandeza que em si mesma é morta!
Tanta nobreza inútil de ânsia e dor!
Nem se ergue a mão para a fechada porta,
Nem o submisso olhar para o amor!

(20/8/1925)

*

Como às vezes num dia azul e manso
No vivo verde da planície calma
Duma súbita nuvem o avanço
Palidamente as ervas escurece
Assim agora em minha pávida alma
Que súbito se evola e arrefece
A memória dos mortos aparece...

(10/11/1925)

*

---

18. Moribundo.

O CONTRASSÍMBOLO

Uma só luz sombreia o cais
Há um som de barco que vai indo.
Horror! Não nos vemos mais!
A maresia vem subindo.

E o cheiro prateado a mar morto
Cerra a atmosfera de pensar
Até tomar-se este como porto
E este cais a bruxulear

Um apeadeiro universal
Onde cada um 'spera isolado
Ao ruído – mar ou pinheiral? –
O expresso inútil atrasado.

E no desdobre da memória
O viajante indefinido
Ouve contar-se só a história
Do cais morto do barco ido.

(30/1/1926)

*

Não haver deus é um deus também.

(1926)

*

Saudade eterna, que pouco duras!

(26/4/1926)

*

Em torno a mim, em maré cheia,
Soam como ondas a brilhar,

O dia, o tempo, a obra alheia.
O mundo natural a estar.

Mas eu, fechado no meu sonho,
Parado enigma, e, sem querer,
Inutilmente recomponho
Visões do que não puder ser.

Cadáver da vontade feita,
Mito real, sonho a sentir,
Sequência interrompida, eleita
Para o destino de partir.

Mas presa à inércia angustiada
De não saber a direção,
E ficar morto na erma estrada
Que vai da alma ao coração.

Hora própria, nunca venhas,
Que olhar talvez fosse pior...
E tu, sol claro que me banhas,
Ah, banha sempre o meu torpor!

(26/4/1926)

*

Universal lamento
    Aflora no teu ser.
Só tem de ti a voz e o momento
Que o [fez] em tua voz aparecer.

(28/9/1926)

*

PRESSÁGIO

Vinham, louras, de preto
Ondeando até mim
Pelo jardim secreto
Na véspera do fim.

Nos olhos toucas tinham
Reflexos de um jardim
Que não o por onde vinham
Na véspera do fim.

Mas passam... Nunca me viram
E eu quanto sonhei afim
A essas que se partiram
Na véspera do fim.

(10/4/1927)

*

Sei que nunca terei o que procuro
E que nem sei buscar o que desejo,
Mas busco, insciente, no silêncio escuro
E pasmo do que sei que não almejo.

(10/4/1927)

*

Já não vivi em vão
Já escrevi bem
Uma canção.

A vida o que tem?
Estender a mão
A alguém?

Nem isso, não.
Só o escrever bem
Uma canção.

       (7/5/1927)

*

Pelo plaino sem caminho
O cavaleiro vem.
Caminha quieto e de mansinho,
Com medo de Ninguém.

       (7/5/1927)

*

Não venhas sentar-te à minha frente, nem a meu lado;
  Não venhas falar, nem sorrir.
Estou cansado de tudo, estou cansado
  Quero só dormir.

Dormir até acordado, sonhando
  Ou até sem sonhar,
Mas envolto num vago abandono brando
  A não ter que pensar.

Nunca soube querer, nunca soube sentir, até
  Pensar não foi certo em mim.
Deitei fora entre urtigas o que era a minha fé,
  Escrevi numa página em branco, "Fim".

As princesas incógnitas ficaram desconhecidas,
  Os tronos prometidos não tiveram carpinteiro.
Acumulei em mim um milhão difuso de vidas,
  Mas nunca encontrei parceiro.

Por isso, se vieres, não te sentes a meu lado, nem fales.
    Só quero dormir, uma morte que seja
Uma coisa que me não rale nem com que tu rales –
    Que ninguém deseja nem não deseja.

Pus o meu Deus no prego. Embrulhei em papel pardo
    As esperanças e ambições que tive,
E hoje sou apenas um suicídio tardo,
    Um desejo de dormir que ainda vive.

Mas dormir a valer, sem dignificação nenhuma,
    Como um barco abandonado,
Que naufraga sozinho entre as trevas e a bruma
    Sem se lhe saber o passado.

E o comandante do navio que segue deveras
    Entrevê na distância do mar
O fim do último representante das galeras,
    Que não sabia nadar.

                                    (28/8/1927)

*

Durmo. Regresso ou espero?
Não sei. Um outro flui
Entre o que sou e o que quero
Entre o que sou e o que fui.

                                    (19/10/1927)

*

Velo, na noite em mim,
Meu próprio corpo morto.
Velo, inútil absorto,
Ele tem o seu fim
Inutilmente, enfim.

                                    (1927)

*

Há luz no tojo e no brejo
    Luz no ar e no chão...
Há luz em tudo que vejo,
    Não no meu coração...

E quanto mais luz lá fora
    Quanto mais quente é o dia
Mas por contrário chora
    Minha íntima noite fria.

(26/11/1927)

*

Brincava a criança
Com um carro de bois.
Sentiu-se brincando
E disse, eu sou dois!

Há um a brincar
E há outro a saber,
Um vê-me a brincar
E outro vê-me a ver.

Estou por trás de mim
Mas se volto a cabeça
Não era o que eu qu'ria
A volta só é essa...

O outro menino
Não tem pés nem mãos
Nem é pequenino
Não tem mãe ou irmãos.

E havia comigo
Por trás de onde eu estou,
Mas se volto a cabeça
Já não sei o que sou.

E o tal que eu cá tenho
E sente comigo,
Nem pai, nem padrinho,
Nem corpo ou amigo,

Tem alma cá dentro
'Stá a ver-me sem ver,
E o carro de bois
Começa a parecer.

(5/12/1927)

*

O que eu fui o que é?
Relembro vagamente
O vago não sei quê
Que passei e se sente.

Se o tempo é longe ou perto
Em que isso se passou,
Não sei dizer ao certo.
Que nem sei o que sou.

Sei só que me hoje agrada
Rever essa visão
Sei que não vejo nada
Senão o coração.

(5/2/1928)

*

A água da chuva desce a ladeira.
    É uma água ansiosa.
Faz lagos e rios pequenos, e cheira
    A terra a ditosa.

Há muitos que cantam a dor e o pranto
    De o amor os não qu'rer...
Mas eu, que também o não tenho, o que canto
    É outra coisa qualquer.

                        (21/3/1928)

*

Há música. Tenho sono.
    Tenho sono com sonhar.
'Stou num longínquo abandono
    Sem me sentir nem pensar.

A música é pobre mas
    Não será mais pobre a vida?
Que importa que eu durma? Faz
    Sono sentir a descida.

                        (25/3/1928)

*

Meu coração esteve sempre
Sozinho. Morri já...
Para que é preciso um nome?
Fui eu a minha sepultura.

                        (1928)

*

Hoje 'stou triste, 'stou triste.
'Starei alegre amanhã...

O que se sente consiste
Sempre em qualquer coisa vã.

Ou chuva, ou sol, ou preguiça...
Tudo influi, tudo transforma...
A alma não tem justiça,
A sensação não tem forma.

Uma verdade por dia...
Um mundo por sensação...
'Stou triste. A tarde está fria.
Amanhã, sol e razão.

(22/4/1928)

*

Passava eu na estrada pensando impreciso,
    Triste à minha moda.
Cruzou um garoto, olhou-me, e um sorriso
    Agradou-lhe a cara toda.

Bem sei, bem sei: sorriria assim
    A um outro qualquer
Mas então sorriu assim para mim...
    Que mais posso eu qu'rer?

Não sou nesta vida nem eu nem ninguém,
    Vou sem ser nem prazo...
Que ao menos na estrada me sorria alguém
    Ainda que por acaso.

(22/4/1928)

*

O sonho que se opôs a que eu vivesse
A esperança que não quis que eu acordasse,

O amor fictício que nunca era esse,
A glória eterna que velava a face.

Por onde eu, louco sem loucura, passe
Esse conjunto absurdo a teia tece...
E, por mais que o Destino me ajudasse,
Quero crer que o Deus dele me esquecesse.

Por isso sou o deportado, e a ilha
Com que, de natural e vegetável,
A imaginação se maravilha...
Nem frutos tem nem água que é potável.
Do barco naufragado vê-se a quilha...

(26/4/1928)

*

O amor, quando se revela,
Não se sabe revelar.
Sabe bem olhar p'ra *ela*,
Mas não lhe sabe falar.

Quem quer dizer o que sente
Não sabe o que há de dizer.
Fala: parece que mente...
Cala: parece esquecer...

Ah, mas se ela adivinhasse,
Se pudesse ouvir o olhar,
E se um olhar lhe bastasse
Pr'a saber que a estão a amar!

Mas quem sente muito, cala;
Quem quer dizer quanto sente
Fica sem alma nem fala,
Fica só, inteiramente!

Mas se isto puder contar-lhe
O que não lhe ouso contar,
Já não terei que falar-lhe
Porque lhe estou a falar...

(1928)

*

...Vaga história comezinha
Que, *pela voz das vozes*, era a minha...
Quem sou eu? Eles sabem e passaram.

(1928)

*

É inda quente o fim do dia...
Meu coração tem tédio e nada...
Da vida sobe maresia...
Uma luz azulada e fria
Para nas pedras da calçada...
Uma luz azulada e vaga
Um resto anônimo do dia...
Meu coração não se embriaga
Vejo como quem vê e divaga...
É uma luz azulada e fria.

(13/7/1928)

*

Em torno ao candeeiro desolado
Cujo petróleo me alumia a vida,
Paira uma borboleta, por mandado
Da sua inconsistência indefinida.

(1/9/1928)

*

E, ó vento vago
Das solidões,
Minha alma é um lago
De indecisões.

Ergue-a em ondas
De iras ou de ais,
Vento que rondas
Os pinheirais!

(1928)

*

O meu coração quebrou-se
Como um bocado de vidro
Quis viver e enganou-se...

(1/10/1928)

*

No fim da chuva e do vento
    Voltou ao céu que voltou
A lua, e o luar cinzento
    De novo, branco, azulou.

Pela imensa constelação
    Do céu dobrado e profundo,
Os meus pensamentos vão
    Buscando sentir o mundo.

Mas perdem-se como uma onda
    E o sentimento não sonda
    O que o pensamento vale
Que importa? Tantos pensaram
    Como penso e pensarei.

(2/10/1928)

*

O LOUCO

E fala aos constelados céus
De trás das mágoas e das grades
Talvez com sonhos como os meus...
Talvez, meu Deus!, com que verdades!

As grades de uma cela estreita
Separam-no de céu e terra...
Às grades mãos humanas deita
E com voz não humana berra...

(30/10/1928)

*

Caminho a teu lado mudo
Sentes-me, vês-me alheado...
Perguntas: Sim... Não... Não sei...
Tenho saudades de tudo...
Até, porque está passado,
Do próprio mal que passei.

Sim, hoje é um dia feliz.
Será, não será, por certo
Num princípio não sei quê
Há um sentido que me diz
Que isto – o céu longe e nós perto –
É só a sombra do que é...

E lembro-me em meia-amargura
Do passado, do distante,
E tudo me é solidão...

Que fui nessa morte escura?
Quem sou neste morto instante?
Não perguntes... Tudo é vão.

(4/11/1928)

*

Há uma música do povo,
Nem sei dizer se é um fado –
Que ouvindo-a há um ritmo novo
No ser que tenho guardado...

Ouvindo-a sou quem seria
Se desejar fosse ser...
É uma simples melodia
Das que se aprendem a viver...

E ouço-a embalado e sozinho...
É isso mesmo que eu quis...
Perdi a fé e o caminho...
Quem não fui é que é feliz.

Mas é tão consoladora
A vaga e triste canção...
Que a minha alma já não chora
Nem eu tenho coração...

Sou uma emoção estrangeira,
Um erro de sonho ido...
Canto de qualquer maneira
E acabo com um sentido!

(9/11/1928)

*

A 'sperança, como um fósforo inda aceso,
Deixei no chão, e entardeceu no chão ileso.
A falha social do meu destino
Reconheci, como um mendigo preso.

Cada dia me traz com que 'sperar
O que dia nenhum poderá dar.
Cada dia me cansa de 'sperança...
Mas viver é sperar e se cansar.

O prometido nunca será dado
Porque no prometer cumpriu-se o fado.
O que se espera, se a esperança é gosto,
Gastou-se no esperá-lo, e está acabado.

Quanta ache vingança contra o fado
Nem deu o verso que a dissesse, e o dado
Rolou da mesa abaixo, oculta a conta.
Nem o buscou o jogador cansado.

(22/11/1928)

*

E a extensa e vária natureza é triste
Quando no vau da luz as nuvens passam.

(1928)

*

A pálida luz da manhã de inverno,
    O cais e a razão
Não dão mais 'sperança, nem menos 'sperança sequer,
    Ao meu coração.
    O que tem que ser
Será, quer eu queira que seja ou que não.

No rumor do cais, no bulício do rio
    Na rua a acordar
Não há mais sossego, nem menos sossego sequer,
    Para o meu 'sperar.
    O que tem que não ser
Algures será, se o pensei; tudo mais é sonhar.
(28/12/1928)

*

Sim, tudo é certo logo que o não seja.
Amar, teimar, verificar, descrer.
Quem me dera um sossego à beira-ser
Como o que à beira-mar o olhar deseja.
(20/1/1929)

*

A tua voz fala amorosa...
Tão meiga fala que me esquece
Que é falsa a sua branda prosa.
Meu coração desentristece.

Sim, como a música sugere
O que na música não 'stá,
Meu coração nada mais quer
Que a melodia que em ti há...

Amar-me? Quem o crera? Fala
Na mesma voz que nada diz
Se és uma música que embala.
Eu ouço, ignoro, e sou feliz.

Nem há felicidade falsa,
Enquanto dura é verdadeira.

Que importa o que a verdade exalça[19]
Se sou feliz desta maneira?

(22/1/1929)

*

Qual é a tarde por achar
Em que teremos todos razão
E respiraremos o bom ar
Da alameda sendo verão,

Ou, sendo inverno, baste 'star
Ao pé do sossego ou do fogão?
Qual é a tarde por voltar?
Essa tarde houve, e agora não.

Qual é a mão cariciosa
Que há de ser enfermeira minha –
Sem doenças minha vida ousa –
Oh, essa mão é morta e osso...
Só a lembrança me acarinha
O coração com que não posso.

(22/1/1929)

*

Vou com um passo como de ir parar
    Pela rua vazia
Nem sinto como um mal ou mal-'star
    A vaga chuva fria...

Vou pela noite da indistinta rua
    Alheio a andar e a ser
E a chuva leve em minha face nua
    Orvalha de esquecer...

---

19. O mesmo exalta.

Sim, tudo esqueço. Pela noite sou
    Noite também
E vagaroso eu [...] vou,
    Fantasma de magia.

No vácuo que se forma de eu ser eu
    E da noite ser triste
Meu ser existe sem que seja meu
    E anônimo persiste...

Qual é o instinto que fica esquecido
    Entre o passeio e a rua?
Vou sob a chuva, amargo e diluído
    E tenho a face nua.

(14/2/1929)

*

Parece que estou sossegando
'Starei talvez para morrer.
Há um cansaço novo e brando
De tudo quanto quis querer.

Há uma surpresa de me achar
Tão conformado com sentir.
Súbito vejo um rio
Entre arvoredo a luzir.

E são uma presença certa
O rio, as árvores e a luz.

(17/3/1929)

*

Aqui está-se sossegado,
Longe do mundo e da vida,

Cheio de não ter passado,
Até o futuro se olvida.
Aqui está-se sossegado.

Tinha os gestos inocentes,
Seus olhos riam no fundo.
Mas invisíveis serpentes
Faziam-a ser do mundo.
Tinha os gestos inocentes.

Aqui tudo é paz e mar.
Que longe a vista se perde
Na solidão a tornar
Em sombra o azul que é verde!
Aqui tudo é paz e mar.

Sim, poderia ter sido...
Mas vontade nem razão
O mundo têm conduzido
A prazer ou conclusão.
Sim, poderia ter sido...

Agora não esqueço e sonho.
Fecho os olhos, ouço o mar
E de ouvi-lo bem, suponho
Que vejo azul a esverdear.
Agora não esqueço e sonho.

Não foi propósito, não.
Os seus gestos inocentes
Tocavam no coração
Como invisíveis serpentes.
Não foi propósito, não.

Durmo, desperto e sozinho.
Que tem sido a minha vida?
Velas de inútil moinho –
Um movimento sem lida...
Durmo, desperto e sozinho.

Nada explica nem consola.
Tudo está certo depois.
Mas a dor que nos desola,
A mágoa de um não ser dois –
Nada explica nem consola.

(29/3/1929)

*

O céu de todos os invernos
Cobre em meu ser todo o verão...
Vai p'r'as profundas dos infernos
E deixa em paz meu coração!

Por ti meu pensamento é triste,
Meu sentimento anda estrangeiro;
A tua ideia em mim insiste
Como uma falta de dinheiro.

Não posso dominar meu sonho.
Não te posso obrigar a amar.
Que hei de fazer? Fico tristonho.
Mas a tristeza há de acabar.

Bem sei, bem sei... A dor de corno
Mas não fui eu que lho chamei.
Amar-te causa-me transtorno,
Lá que transtorno é que não sei...

Ridículo? É claro. E todos?
Mas a consciência de o ser, fi-la bastante clara deitando-a a rodos
Em cinco quadras de oito sílabas.

(3/4/1929)

*

Mas o hóspede inconvidado
Que mora no meu destino,
Que não sei como é chegado,
Nem de que honras é dino.[20]

Constrange meu ser de casa
A adaptações de disfarce.

(7/4/1929)

*

Mas eu, alheio sempre, sempre entrando
O mais íntimo ser da minha vida,
Vou dentro em mim a sombra procurando.

(1929)

*

Pela rua já serena
Vai a noite
Não sei de que tenho pena,
Nem se é pena isto que tenho...

Pobres dos que vão sentindo
Sem saber do coração!
Ao longe, cantando e rindo,
Um grupo vai sem razão...

---

20. Digno.

E a noite e aquela alegria
E o que medito a sonhar
Formam uma alma vazia
Que paira na orla do ar...

(18/6/1929)

*

Tenho pena até... nem sei...
Do próprio mal que passei
Pois passei quando passou.

(1929)

*

O som do relógio
Tem a alma por fora,
Só ele é a noite
E a noite se ignora.

Não sei que distância
Vai de som a som
Rezando, no tique,
Do taque do tom.

Mas ouço de noite
A sua presença
Sem ter onde acoite
Meu ser sem ser.

Parece dizer
Sempre a mesma coisa
Como o que se senta
E se não repousa.

(26/6/1929)

EPITÁFIO DESCONHECIDO

Quanta mais alma ande no amplo informe,
A ti, seu lar anterior, do fundo
Da emoção regressam, ó Cristo, e dormem
Nos braços cujo amor é o fim do mundo.

(26/6/1929)

GLOSA

Minha alma sabe-me a antiga
Mas sou de minha lembrança,
Como um eco, uma cantiga.

Bem sei que isto não é nada,
Mas quem dera a alma que seja
O que isto é, como uma estrada.

Talvez eu fosse feliz
Se houvesse em mim o perdão
Do que isto quase que diz.

Porque o esforço é vil e vão,
A verdade, quem a quis?
Escuta só meu coração.

(9/11/1929)

O abismo é o muro que tenho
Ser eu não tem um tamanho.

(1929)

*

Relógio, morre –
Momentos vão...
Nada já ocorre
Ao coração
Senão, senão...

Bem que perdi,
Mal que deixei,
Nada aqui
Montes sem lei
Onde estarei...

Ninguém comigo!
Desejo ou tenho?
Sou o inimigo –
De onde é que venho?
O que é que estranho?

(1/3/1930)

*

Quem vende a verdade, e a que esquina?
Quem dá a hortelã com que temperá-la?
Quem traz para casa a menina
E arruma as jarras da sala?

Quem interroga os baluartes
E conhece o nome dos navios?
Dividi o meu estudo inteiro em partes
E os títulos dos capítulos são vazios...

Meu pobre conhecimento ligeiro,
Andas buscando o estandarte eloquente
Da filarmônica de um Barreiro[21]
Para que não há barco nem gente.

Tapeçarias de parte nenhuma
Quadros virados contra a parede...
Ninguém conhece, ninguém arruma
Ninguém dá nem pede.

Ó coração epitélico e macio,
Colcha de croché do anseio morto,
Grande prolixidade do navio
Que existe só para nunca chegar ao porto.

(28/3/1930)

*

Na noite que me desconhece
O luar vago, transparece
Da lua ainda por haver.
Sonho. Não sei o que me esquece,
Nem sei o que prefiro ser.

Hora intermédia entre o que passa,
Que névoa incógnita esvoaça
Entre o que sinto e o que sou?
A brisa alheamento abraça.
Durmo. Não sei quem é que estou,

Dói-me tudo por não ser nada.
Da grande noite- embainhada
Ninguém tira a conclusão.

---

21. Referência à Freguesia de Lavradio, Concelho de Barreiro, ligada à tradição agrícola e musical desde os anos 60 do séc. XIV.

Coração, queres? Tudo enfada
Antes só sintas, coração.

(18/5/1930)

*

Mais triste do que o que acontece
    É o que nunca aconteceu.
Meu coração, quem o entristece?
    Quem o faz meu?

Na nuvem vem o que escurece
    O grande campo sob o céu.
Memórias? Tudo é o que esquece.
    A vida é quanto se perdeu.
E há gente que não enlouquece!
    Ai do que em mim me chamo eu!

(9/6/1930)

*

Ó ervas frescas que cobris
    As sepulturas,
Vosso verde tem cores vis
A meus olhos, já servis
    De conjeturas.

Sabemos bem de quem viveis
    Ervas do chão,
Que sossego é esse que fazeis
Verde na forma que trazeis
    Sem compaixão.

Ó verdes ervas, como o azul medo
    Do céu sem Ser,
Cunhado como entre segredo

Da vida viva, e outro degredo
    Do infindo haver.

Tenho um terror como todo eu
    Do verde chão...
Ó sol, não baixes já no céu,
Quero um momento ainda meu
    Como um perdão.

(14/6/1930)

*

Há quanto tempo não canto
Na muda voz de sentir.
E tenho sofrido tanto
Que chorar fora sorrir.

Há quanto tempo não sinto
De maneira a o descrever,
Nem em ritmos vivos minto
O que não quero dizer...

Há quanto tempo me fecho
À chave dentro de mim.
E é porque já não me queixo
Que as queixas não têm fim.

Há quanto tempo assim duro
Sem vontade de falar!
Já estou amigo do escuro
Não quero o sol nem o ar.

Foi-me tão pesada e crescida
A tristeza que ficou
Que ficou toda a vida
Para cantar não sonhou.

(14/6/1930)

*

Ó sorte de olhar mesquinho
    E gestos de despedida,
Apanha-me do caminho
    Como a uma coisa caída...

Resvalei à via velha
    Do colo de quem sonhava.
Leva-me como na celha
    O sabão de quem lavava...

Quem quer saber de quem fora
    Quem eu fora se outro fosse...
Olha-me e deita-me fora
    Como quem farta de doce.

(24/6/1930)

*

Dói-me quem sou. E em meio da emoção
Ergue a fronte de torre um pensamento
É como se na imensa solidão
De uma alma a sós consigo, o coração
Tivesse cérebro e conhecimento.

Numa amargura artificial consisto.
Fiel a qualquer ideia que não sei,
Como um fingido cortesão me visto
Dos trajes majestosos em que existo
Para a presença artificial do rei.

Sim, tudo é sonhar quanto sou e quero.
Tudo das mãos caídas se deixou.
Braços dispersos, desolado espero.

Mendigo pelo fim do desespero,
Que quis pedir esmola e não ousou.

(26/7/1930)

*

Depois que todos foram
E foi também o dia,
Ficaram entre as sombras
Das áleas[22] do ermo parque
Eu e a minha agonia.

A festa fora alheia
E depois que acabou
Ficaram entre as sombras
Das áleas apertadas
Quem eu fui e quem sou.

Tudo fora por todos.
Brincaram, mas enfim
Ficaram entre as sombras
Das áleas apertadas
Só eu, e eu sem mim.

Talvez que no parque antigo
A festa volte a ser.
Ficaram entre as sombras
Das áleas apertadas
Eu e quem sei não ser.

(26/7/1930)

*

Vai leve a sombra
Por sobre a água.

---
22. Fileiras de árvores.

Assim meu sonho
Na minha mágoa.

Como quem dorme
Esqueço a viver.
Despertarei
Ao sol volver.

Nuvem ou brisa,
Sonho ou [...] dada
Faz sentir; passa,
E não foi nada.

(3/8/1930)

*

Árvore verde,
Meu pensamento
Em ti se perde.
Ver é dormir
Neste momento.

Que bom não ser
'stando acordado!
Também em mim
Enverdecer
Em folhas dado!

Tremulamente
Sentir no corpo
Brisa na alma!
Não ser quem sente,
Mas tem a calma.

Eu tinha um sonho
Que me encantava.

Se a manhã vinha,
Como eu a odiava!

Volvia a noite,
E o sonho a mim.
Era o meu lar,
Minha alma afim.

Depois perdi-o.
Lembro? Quem dera!
Se eu nunca soube
O que ele era.

(3/8/1930)

*

Vou em mim como entre bosques,
Vou-me fazendo paisagem
Para me desconhecer.
Nos meus sonhos sinto aragem,
Nos meus desejos descer.

Passeio entre arvoredo
Nos meandros de quem sinto
Quando sinto sem sentir...
Vaga clareira de instinto,
Pinheiral todo a subir...

Sorriso que no regato
Através dos ramos curvos
O sol, espreitando, achou.
Fluir de água, com tons turvos,
Onde uma pedra adensou.

Grande alegria das mágoas
Quando o declive da encosta

Apressa o passo sem querer...
De que é que a minha alma gosta
Sem que eu tenha de o saber?

Muita curva, muita coisa,
Todas com gentes de fora
Na alma que sinto assim.
Que paisagem quem se ignora!
Meu Deus, que é feito de mim?

(4/8/1930)

*

Meus versos são meu sonho dado.
Quero viver, não sei viver,
Por isso, anônimo e encantado,
Canto para me pertencer.

O que soubemos, o perdemos.
O que pensamos, já o fomos.
Ah, e só guardamos o que demos
E tudo é sermos quem não somos.

Se alguém souber sentir meu canto
Meu canto eu saberei sentir.
Viverei com minha alma tanto
Quanto outros vivem (?)

(4/8/1930)

*

Deixa-me ouvir o que não ouço...
Não é a brisa ou o arvoredo;
É outra coisa intercalada...

    É qualquer coisa que não posso
    Ouvir senão em segredo,
    E que talvez não seja nada...

Deixa-me ouvir... Não fales alto!
Um momento!... Depois o amor,
Se quiseres... Agora cala!
    Tênue, longínquo sobressalto
    Que substitui a dor,
    Que inquieta e embala...

O quê? Só a brisa entre a folhagem?
Talvez... Só um canto pressentido?
Não sei, mas custa amar depois...
Sim, torna a mim, e a paisagem
    E a verdadeira brisa, ruído...
    Que pena sermos dois!
    Meu amor, somos dois.
    Vejo-te, somos dois...

                                      (12/8/1930)

*

A tua carne calma
    Presente não tem ser.
Os meus desejos são cansaços.
Quem querem ter nos braços
    É a ideia de te ter.

                                      (1930)

*

Teu corpo real que dorme
É um frio no meu ser.

                                      (1930)

*

Ah, a esta alma que não arde
Não envolve, porque ama,
A esperança, ainda que vã,
O esquecimento que vive
Entre o orvalho da tarde
E o orvalho da manhã.

(1930)

*

Fito-me frente a frente.
Conheço que estou louco.
Não me sinto doente.
Fito-me frente a frente.

Evoco a minha vida.
Fantasma, quem és tu?
Uma coisa erguida.
Uma força traída.

Neste momento claro,
Abdique a alma bem!
Saber não ser é raro.
Quero ser raro e claro.

(12/8/1930)

*

Talvez que seja a brisa
Que ronda o fim da estrada,
Talvez seja o silêncio,
Talvez não seja nada...

Que coisa é que na tarde
Me entristece sem ser?
Sinto como se houvesse
Um mal que acontecer.

Mas sinto o mal que vem
Como se já passasse...
Que coisa é que faz isto
Sentir-se e recordar-se?

(17/8/1930)

*

Sei bem que não consigo
O que não quero ter,
Que nem até prossigo
Na estrada até querer.

Sei que não sei da imagem
Que era o saber que foi
Aquela personagem
Do drama que me dói.

Sei tudo. Era presente
Quando abdiquei de mim...
E o que a minha alma sente
Ficou nesse jardim.

(18/8/1930)

*

Se eu pudesse não ter o ser que tenho
Seria feliz aqui...
Que grande sonho
Ser quem não sabe quem é e sorri!

Mas eu sou estranho
Se em sonho me vi
Tal qual no tamanho
O que nunca vi...

(18/8/1930)

*

Não quero mais que um som de água
Ao pé de um adormecer.
Trago sonho, trago mágoa,
Trago com que não querer.

Como nada amei nem fiz
Quero descansar de nada.
Amanhã serei feliz
Se para manhã há estrada.

Por enquanto, na estalagem
De não ler cura de mim.
Gozarei só pela aragem
As flores do outro jardim.

Por enquanto, por enquanto,
Por enquanto não sei quê..
Pobre alma, choras sem pranto,
E ouves como quem vê.

(19/8/1930)

*

Deve chamar-se tristeza
Isto que não sei que seja
Que me inquieta sem surpresa
Saudade que não deseja.

Sim, tristeza – mas aquela
Que nasce de conhecer
Que ao longe está uma estrela
E ao perto está não a ter.

Seja o que for, é o que tenho.
Tudo mais é tudo só.
E eu deixo ir o pó que apanho
De entre as mãos ricas de pó.

(19/8/1930)

*

Quem me roubou quem nunca fui e a vida?
Quem, de dentro de mim, é que a roubou?
Quem ao ser que conheço por quem sou
Me trouxe, em estratagemas de descida?

Onde me encontro nada me convida.
Onde me eu trouxe nada me chamou.
Desperto: este lugar em que me estou,
Se é abismo ou cume, onde estão vinda ou ida?

Quem, guiando por mim meus passos dados.
Entre sombras e muros quem me deu
À súbita visão dos mudos fados?

Quem sou, que assim me caminhei sem eu,
Quem são, que assim me deram aos bocados
À reunião em que acordo e não sou meu?

(19/8/1930)

*

Se sou alegre ou sou triste?...
Francamente, não o sei.
A tristeza em que consiste?
Da alegria o que farei?

Não sou alegre nem triste.
Verdade, não sei que sou.

Sou qualquer alma que existe
E sente o que Deus fadou.

Afinal, alegre ou triste?
Pensar nunca tem bom fim...
Minha tristeza consiste
Em não saber bem de mim...
Mas a alegria é assim...

(20/8/1930)

*

O grande sol na eira[23]
Talvez seja o remédio...
Não quero quem me queira,
Amarem-me faz tédio.

Baste-me o beijo intacto
Que a luz dá a luzir
E o amor alheio e abstrato
De campos a florir.

O resto é gente e alma:
Complica, fala, vê.
Tira-me o sonho e a calma
E nunca é o que é.

(21/8/1930)

*

Pois cai um grande e calmo efeito
De nada ter razão de ser

---

23. Terreno onde se põem a secar e se desgranam legumes ou cereais.

Do céu, nulo como um direito,
Na terra vil como um dever.

(21/8/1930)

*

Grande sol a entreter
Meu meditar sem ser
Neste quieto recinto...
Quanto não pude ter
Forma a alma com que sinto,

Se vivo é que perdi...
Se amo é que não amei...
E o grande bom sol ri...
E a sombra está aqui
Onde eu sempre estarei...

(21/8/1930)

*

Maravilha-te, memória!
Lembras o que nunca foi,
E a perda daquela história
Mais que uma perda me dói.

Meus contos de fadas meus –
Rasgaram-lhe a última folha...
Meus cansaços são ateus
Dos deuses da minha escolha...

Mas tu, memória, condizes
Com o que nunca existiu...
Torna-me aos dias felizes
E deixa chorar quem riu.

(21/8/1930)

*

O sol queima o que toca.
O verde à luz desenverdece.
Seca-me a sensação da boca.
Nas minhas papilas esquece.

(24/8/1930)

*

Gostara, realmente,
De sentir com uma alma só,
Não ser eu só tanta gente
De muitos, meto-me dó.

Não ter lar, vá. Não ter calma
'Stá bem, nem ter pertencer.
Mas eu, de ter tanta alma,
Nem minha alma chego a ter.

(24/8/1930)

*

Melodia triste sem pranto,
Diluída, antiga, feliz
Manhã de sentir a alma como um canto
    De D. Dinis.[24]

Vem do fundo do campo, da hora,
E do modo triste como ouço,

---

24. Rei-poeta, amante das artes e letras. Foi um grande trovador, além de ter impulsionado a tradução de muitas obras para português, entre as quais se contam os tratados de seu avô Afonso X, o Sábio. Foi o responsável pela criação da primeira Universidade portuguesa, inicialmente instalada em Lisboa e, depois, transferida para Coimbra, em 1308.

Uma voz que canta, e se demora.
Escuto alto, mas não posso

Distinguir o que diz; é música só,
Feita de coração, sem dizer:
Murmúrio de quem embala, com um vago dó
De o menino ter de crescer.

(24/8/1930)

*

Deus não tem unidade,
Como a terei eu?

(24/8/1930)

*

Entre o luar e o arvoredo,
Entre o desejo e não pensar
Meu ser secreto vai a medo
Entre o arvoredo e o luar.
Tudo é longínquo, tudo é enredo,
Tudo é não ter nem encontrar.

Entre o que a brisa traz e a hora,
Entre o que foi e o que a alma faz,
Meu ser oculto já não chora
Entre a hora e o que a brisa traz.
Tudo não foi, tudo se ignora.
Tudo em silêncio se desfaz.

(24/8/1930)

*

Deixo ao cego e ao surdo
A alma com fronteiras,

Que eu quero sentir tudo
De todas as maneiras.

Do alto de ter consciência
Contemplo a terra e o céu,
Olho-os com inocência:
Nada que vejo é meu.

Mas vejo tão atento
Tão neles me disperso
Que cada pensamento
Me torna já diverso.

E como são estilhaços
Do ser, as coisas dispersas
Quebro a alma em pedaços
E em pessoas diversas.

E se a própria alma vejo
Com outro olhar,
Pergunto se há ensejo
De por isto a julgar.

Ah, tanto como a terra
E o mar e o vasto céu.
Quem se crê próprio erra,
Sou vário e não sou meu.

Se as coisas são estilhaços
Do saber do universo,
Seja eu os meus pedaços,
Impreciso e diverso.

Se quanto sinto é alheio
E de mim sou ausente,

Como é que a alma veio
A acabar-se em ente?

Assim eu me acomodo
Com o que Deus criou,
Deus tem diverso modo
Diversos modos sou.

Assim a Deus imito,
Que quando fez o que é
Tirou-lhe o infinito
E a unidade até.

(24/8/1930)

*

Olha-me rindo uma criança
E na minha alma madrugou.
Tenho razão, tenho esperança
Tenho o que nunca me bastou.

Bem sei. Tudo isto é um sorriso
Que é nem sequer sorriso meu.
Mas para meu não o preciso
Basta-me ser de quem mo deu.

Breve momento em que um olhar
Sorriu ao certo para mim...
És a memória de um lugar,
Onde já fui feliz assim.

(1930)

*

Quero ser livre insincero
Sem crença, dever ou posto.

Prisões, nem de amor as quero.
Não me amem, porque não gosto.

Quando canto o que não minto
E choro o que sucedeu,
É que esqueci o que sinto
E julgo que não sou eu.

De mim mesmo viandante[25]
Olho as músicas na aragem,
E a minha mesma alma errante
É uma canção de viagem.

(26/8/1930)

*

O rio que passa dura
Nas ondas que há em passar,
E cada onda figura
O instante de um lugar.

Pode ser que o rio siga,
Mas a onda que passou
É outra quando prossiga.
Não continua: durou.

Qual é o ser que subsiste
Sob estas formas de 'star,
A onda que não existe,
O rio que é só passar?

Não sei, e o meu pensamento
Também não sabe se é,
Como a onda o seu momento
Como o rio [?]

(26/8/1930)

---

25. Caminhante.

*

Meu ruído de alma cala.
E aperto a mão no peito,
Porque sob o efeito
Da arte que faz trejeito,
O que é de Cristo fala.

Cega, porca, lixo
Da vida que n'alma tem,
Esta criança vem.
Que Deus é que do além
Teve este mau capricho?

(26/8/1930)

*

E ou jazigo haja
Ou sótão com pó,
Bebê foi-se embora.
Minha alma está só.

(26/8/1930)

*

Gnomos do luar que faz selvas
As florestas sossegadas,
Que sois silêncios nas relvas,
E em áleas abandonadas
Fazeis sombras enganadas,

Que sempre se a gente olha
Acabastes de passar
E só um tremor de folha
Que o vento pode explicar
Fala de vós sem falar,

Levai-me no vosso rastro,
Que em minha alma quero ser
Como vosso corpo, um astro
Que só brilha quando houver
Quem o suponha sem ver.

Assim eu que canto ou choro
Quero velar-me a partir.
Lembrando o que não memoro,
Alguns me saibam sentir,
Mas ninguém me definir.

(26/8/1930)

*

Ah sentir tudo de todos
os feitios!
Não ter substância – só modos
só desvios –
Alma vista de uma estrada
que vira a esmo
Seja eu leitura variada
Para mim mesmo!

(26/8/1930)

*

Minha mulher, a solidão,
Consegue que eu não seja triste.
Ah, que bom é ao coração
Ter este bem que não existe!

Recolho a não ouvir ninguém,
Não sofro o insulto de um carinho
E falo alto sem que haja alguém:
Nascem-me os versos do caminho.

Senhor, se há bem que o céu conceda
Submisso à opressão do Fado,
Dá-me eu ser só – veste de seda –,
E fala só – leque animado.

(27/8/1930)

*

Na margem verde da estrada
Os malmequeres são meus.
Já trago a alma cansada –
Não é de si: é de Deus.

Se Deus me quisesse dá-la
Havia de achar maneira...
A estrada de cá da vala
Tem malmequeres à beira.

Se os quer, colho-os, e tenho
Cuidado com os partir.
Cada um que vejo e apanho
Dá um estalinho ao sair.

São malmequeres aos molhos,
Iguaizinhos para ver.
E nem põe neles os olhos,
Dá a mão pra os receber.

Não é esmola que envergonhe,
Nem coisa dada sem mais.
É pra que a menina os ponha
Onde o peito faz sinais.

Tirei-os do campo ao lado
Para a menina os trazer...

E nem me mostra o agrado
De um olhar para me ver...

É assim a minha sina.
Tirei-os de onde iam bem.
Só para os dar à menina –
E agradeceu-me a ninguém.

(31/8/1930)

*

Quando nas pausas solenes
Da natureza
Os galos cantam solenes.

(1930)

*

A estrada, como uma senhora.
Só dá passagem legalmente.
Escrevo ao sabor quente da hora
Baldadamente.

Não saber bem o que se diz
É um pouco sol e um pouco alma.
Ah, quem me dera ser feliz.
Teria isto, mais a calma.

Bom campo, estrada com cadastro,
Legislação entre erva nata.
Vou atar a alma com um nastro[26]
Só para ver quem ma desata.

(31/8/1930)

*

---
26. Fita estreita de linho, algodão ou outro fio.

Tão vago é o vento que parece
Que as folhas fremem só por vida.
Dorme um calar em que se esquece.
Em que é que o campo nos convida?

Não sei. Anônimo de mim.
Não posso erguer uma intenção
Do saco em que me sinto assim.
Caído nesse verde chão.

Com a alma feita em animal,
A quem o sol é um lombo quente.
Aceito como a brisa real
A sensação de ser quem sente.

E os olhos que me pesam baixo
Olham pela alma o campo e a estrada,
No chão um fósforo é o que acho.
Nas sensações não acho nada.

(31/8/1930)

*

De aqui a pouco acaba o dia.
Não fiz nada.
Também, que coisa é que faria?
Fosse a que fosse, estava errada.

De aqui a pouco a noite vem.
Chega em vão
Para quem como eu só tem
Para o contar o coração.

E após a noite e irmos dormir
Torna o dia.

Nada farei senão sentir.
Também que coisa é que faria?

(31/8/1930)

*

É boa! Se fossem malmequeres!
E é uma papoula
Sozinha, com esse ar de "queres?"
Veludo da natureza tola.

Coitada!
Por ela
Saí da marcha pela estrada.
Não a ponho na lapela.

Oscila ao leve vento, muito
Encarnada a arroxear.
Deixei no chão o meu intuito.
Caminharei sem regressar.

(31/8/1930)

*

Enfia a agulha,
E ergue do colo
A costura enrugada.
Escuta: (volto a folha
Com desconsolo).
Não ouviste nada.
Os meus poemas, este
E os outros que tenho –

São só a brincar.
Tu nunca os leste,

E nem mesmo estranho
Que ouças sem pensar.

Mas dá-me um certo agrado
Sentir que tos leio
E que ouves sem saber.
Faz um certo quadro.
Dá-me um certo enleio...
E ler é esquecer.

(31/8/1930)

*

Parece estar calor, mas nasce
Subitamente
Contra a minha face
Uma brisa fresca que se sente.

Assim também – pois comparar
É que é poesia –
A alma sente-se a esperar,
Mas não conhece em que confia.

(31/8/1930)

*

Gradual, desde que o calor
Teve medo,
A brisa ganhou alma, à flor
Do arvoredo.

Primeiro, os ramos ajeitaram
As folhas que há,
Depois, cinzentas, oscilaram,
E depois já

Toda a árvore era um movimento
E o fresco viera.
Medita sem ter pensamento!
Ignora e 'spera!

(31/8/1930)

*

Como um vento na floresta.
Minha emoção não tem fim.
Nada sou, nada me resta.
Não sei quem sou para mim.

E como entre os arvoredos
Há grandes sons de folhagem,
Também agito segredos
No fundo da minha imagem.

E o grande ruído do vento
Que as folhas cobrem de som
Despe-me do pensamento:
Sou ninguém, temo ser bom.

(30/9/1930)

*

Quando fui peregrino
Do meu próprio destino!
Quanta vez desprezei
O lar que sempre amei!
Quanta vez rejeitando
O que quisera ter,
Fiz dos versos um brando
Refúgio de não ser!

E quanta vez, sabendo
Que a mim estava esquecendo,
E que quanto vivi –
Tanto era o que perdi –
Como o orgulhoso pobre
Ao rejeitado lar
Volvi o olhar, vil nobre
Fidalgo só no chorar...

Mas quanta vez descrente
Do ser insubsistente
Com que no Carnaval
Da minha alma irreal
Vestira o que sentisse
Vi quem era quem não sou
E tudo o que não disse
Os olhos me turvou...

Então, a sós comigo,
Sem me ter por amigo,
Criança ao pé dos céus,
Pus a mão na de Deus.
E no mistério escuro
Senti a antiga mão
Guiar-me, e fui seguro
Como a quem deram pão.

Por isso, a cada passo
Que meu ser triste e lasso
Sente sair do bem
Que a alma, se é própria, tem,
Minha mão de criança
Sem medo nem esperança
Para aquele que sou
Dou na de Deus e vou.

(7/10/1930)

*

Do meio da rua
(Que é, aliás, o infinito)
Um pregão flutua,
Música num grito...

Como se no braço
Me tocasse alguém
Viro-me num espaço
Que o espaço não tem.

Outrora em criança
O mesmo pregão...
Não lembres... Descansa,
Dorme, coração!...

(7/10/1930)

*

Por quem foi que me trocaram
Quando estava a olhar pra ti?
Pousa a tua mão na minha
E, sem me olhares, sorri.

Sorri do teu pensamento
Porque eu só quero pensar
Que é de mim que ele está feito
É que o tens para mo dar.

Depois aperta-me a mão
E vira os olhos a mim...
Por quem foi que me trocaram
Quando estás a olhar-me assim?

(13/10/1930)

*

Leve no cimo das ervas
O dedo do vento roça...
Elas dizem-me que sim...
Mas eu já não sei de mim

Nem do que queira ou que possa.
E o alto frio das ervas
Fica no ar a tremer...
Parece que me enganaram
E que os ventos me levaram
O com que me convencer.

Mas no relvado das ervas
Nem bole agora uma só.
Porque pus eu uma esperança
Naquela inútil mudança
De que nada ali ficou?

Não: o sossego das ervas
Não é o de há pouco já
Que inda a lembrança do vento
Me as move no pensamento
E eu tenho porque não há.

(13/10/1930)

*

Se tudo o que há é mentira.
É mentira tudo o que há.
De nada nada se tira,
A nada nada se dá.

Se tanto faz que eu suponha
Uma coisa ou não com fé,

Suponho-a se ela é risonha,
Se não é, suponho que é.

Que o grande jeito da vida
É pôr a vida com jeito.
Fana a rosa não colhida
Como a rosa posta ao peito.

Mais vale e o mais valer,
Que o resto urtigas o cobrem
E só se cumpra o dever
Para que as palavras sobrem.

(14/10/1930)

*

Há um grande som no arvoredo.
Parece um mar que há lá em cima.
É o vento, e o vento faz um medo...
Não sei se um coração me estima...

Sozinho sob os astros certos
Meu coração não sai da vida...
Ó vastos céus, iguais e abertos,
Que é esta alma indefinida?

(21/10/1930)

*

Cai chuva do céu cinzento
Que não tem razão de ser.
Até o meu pensamento
Tem chuva nele a escorrer.

Tenho uma grande tristeza
Acrescentada à que sinto.

Quero dizer-ma mas pesa
O quanto comigo minto.

Porque verdadeiramente
Não sei se estou triste ou não.
E a chuva cai levemente
(Porque Verlaine[27] consente)
Dentro do meu coração.

(15/11/1930)

*

Andavam de noite aos segredos
    Só porque era noite...
Os bosques enchiam de medos
    Quem quer que se afoite...

Diziam [?] palavras que pesam [?]
    À sombra de alguém...
Ninguém os conhece, e passam...
    Não eram ninguém...

Fica só na aragem e na ânsia
    Saudade a fingir...
Foi como se fora a distância...
    Eu torno a dormir.

(11/2/1931)

*

Parece às vezes que desperto
E me pergunto o que vivi;
Fui claro, fui real, é certo,
Mas como é que cheguei aqui?

---

27. Referência ao poeta simbolista Paul Verlaine.

A bebedeira às vezes dá
Uma assombrosa lucidez
Em que como outro a gente está.
Estive ébrio sem beber talvez.

E de aí, se pensar, o mundo
Não será feito só de gente
No fundo cheia de este fundo
De existir clara e ebriamente?

Entendo, como um carrossel,
Giro em meu torno sem me achar...
(Vou escrever isto num papel
Para ninguém me acreditar...)

(11/2/1931)

*

O ruído vário da rua
Passa alto por mim que sigo.
Vejo: cada coisa é sua
Ouço: cada som é consigo.

Sou como a praia a que invade
Um mar que torna a descer.
Ah, nisto tudo a verdade
É só eu ter que morrer.

Depois de eu cessar, o ruído.
Não, não ajusto nada
Ao meu conceito perdido
Como uma flor na estrada.

(21/2/1931)

*

Cheguei à janela,
Porque ouvi cantar.
É um cego e a guitarra
Que estão a chorar.

Ambos fazem pena,
São uma coisa só
Que anda pelo mundo
A fazer ter dó.

Eu também sou um cego
Cantando na estrada,
A estrada é maior
E não peço nada.

(26/2/1931)

*

Eu amo tudo o que foi,
Tudo o que já não é,
A dor que já me não dói,
A antiga e errônea fé,
O ontem que dor deixou,
O que deixou alegria
Só porque foi, e voou
E hoje é já outro dia.

(1931)

*

Há um murmúrio na floresta,
Há uma nuvem e não já.
Há uma nuvem e nada resta
Do murmúrio que ainda está
No ar a parecer que há.

É que a saudade faz viver,
E faz ouvir, e ainda ver,
Tudo o que foi e acabará
Antes que tenha de o esquecer
Como a floresta esquece já.

          (8/3/1931)

*

O vento tem variedade
Nas formas de parecer.
Se vens dizer-me a verdade,
Por que é que ma vens dizer?
Verdades, quem é que as quer?

Se a vida é o que é,
Então está bem o que está.
Para que ir pé ante pé
Até ontem e até já
E até onde nada há?

Enrola o cordão à roda
Do teu dedo sem razão.
Tudo é uma espécie de moda
E acaba na ocasião.
Quem te deu esse cordão?

          (8/3/1931)

*

Já ouvi doze vezes dar a hora
No relógio que diz que é meio-dia
A toda a gente que aqui perto mora.
(O comentário é do Camões agora:)
"Tanto que espera! Tanto que confia!"

Como o nosso Camões, qualquer podia
Ter dito aquilo, até outrora.

E ainda é uma grande coisa a ironia.

(8/3/1931)

*

Paisagens, quero-as comigo.
Paisagens, quadros que são...
Ondular louro do trigo,
Faróis de sóis que sigo,
Céu mau, juncos, solidão...

Uma pela mão de Deus,
Outras pelas mãos das fadas,
Outras por acasos meus,
Outras por lembranças dadas...

Paisagens... Recordações,
Porque até o que se vê
Com primeiras impressões
Algures foi e que é,
No ciclo das sensações.

Paisagens... Enfim, o teor
Da que está aqui é a rua
Onde ao sol bom do torpor
Que na alma se me insinua
Não vejo nada melhor.

(8/3/1931)

*

O mau aroma alacre
Da maresia

Sobe no esplendor acre
Do dia.

Falsa, a ribeira é lodo
Ainda a aguar.
Olho, e o que sou está todo
A não olhar.

E um mal de mim a deixa.
Tenho lodo em mim –
Ribeira que se queixa
De o rio ser assim.

(27/3/1931)

*

Vão breves passando
Os dias que tenho.
Depois de passarem
Já não os apanho.

De aqui a tão pouco
Ainda acabou.
Vou ser um cadáver
Por quem se rezou.

E entre hoje e esse dia
Farei o que fiz:
Ser qual quero eu ser,
Feliz ou infeliz.

(28/3/1931)

*

Fito-me frente a frente
E conheço quem sou.

Estou louco, é evidente,
Mas que louco é que estou?

É por ser mais poeta
Que gente que sou louco?
Ou é por ter completa
A noção de ser pouco?

Não sei, mas sinto morto
O ser vivo que tenho.
Nasci como um aborto,
Salvo a hora e o tamanho.

(30/3/1931)

*

Em plena vida e violência
De desejo e ambição,
De repente uma sonolência
Cai sobre a minha ausência,
Desce ao meu próprio coração.

Será que a mente, já desperta
Da noção falsa de viver,
Vê que, pela janela aberta,
Há uma paisagem toda incerta
E um sonho todo a apetecer?

*

Não sei ser triste a valer
Nem ser alegre deveras.
Acreditem: não sei ser.
Serão as almas sinceras
Assim também, sem saber?

Ah, ante a ficção da alma
E a mentira da emoção,
Com que prazer me dá calma
Ver uma flor sem razão
Florir sem ter coração!

Mas enfim não há diferença.
Se a flor flore sem querer,
Sem querer a gente pensa.
O que nela é florescer
Em nós é ter consciência.

Depois, a nós como a ela,
Quando o Fado a faz passar,
Surgem as patas dos deuses
E a ambos nos vêm calcar.

'Stá bem, enquanto não vêm
Vamos florir ou pensar.

(3/4/1931)

*

Tenho sono em pleno dia.
Não sei de que, tenho pena.
Sou como uma maresia.
Dormi mal e a alma é pequena.

Nos tanques da quinta de outrem
É que gorgoleja[28] bem.
Quanto as saudades encontrem,
Tanto minha alma não tem.

(5/4/1931)

*

---
28. Produz o ruído do gargarejo.

Sou um evadido.
Logo que nasci
Fecharam-me em mim,
Ah, mas eu fugi.

Se a gente se cansa
Do mesmo lugar,
Do mesmo ser
Por que não se cansar?

Minha alma procura-me
Mas eu ando a monte.
Oxalá que ela
Nunca me encontre.

Ser um é cadeia,
Ser eu é não ser.
Viverei fugindo
Mas vivo a valer.

(5/4/1931)

*

As nuvens são sombrias
Mas, nos lados do sul,
Um bocado do céu
É tristemente azul.

Assim, no pensamento,
Sem haver solução,
Há um bocado que lembra
Que existe o coração.

E esse bocado é que é
A verdade que está

A ser beleza eterna
Para além do que há.

                                                     (5/4/1931)

*

Desfaze a mala feita pra a partida!
    Chegaste a ousar a mala?
Que importa? Desesperas ante a ida
    Pois tudo a ti te iguala.

Sempre serás o sonho de ti mesmo.
    Vives tentando ser.
Papel rasgado de um intento, a esmo
    Atirado ao descrer.

Como as correias cingem
    Tudo o que vais levar!
Mas é só a mala e não a ida [?]
    Que há de sempre ficar!

                                                     (2/7/1931)

*

Se estou só, quero não 'star,
Se não 'stou, quero 'star só,
Enfim, quero sempre estar
Da maneira que não estou.

Ser feliz é ser aquele.
E aquele não é feliz,
Porque pensa dentro dele
E não dentro do que eu quis.

A gente faz o que quer
Daquilo que não é nada,

Mas falha se o não fizer,
Fica perdido na estrada.

(2/7/1931)

*

Bem, hoje que estou só e posso ver
    Com o poder de ver do coração
Quanto não sou, quanto não posso ser,
    Quanto, se o for, serei em vão,

Hoje, vou confessar, quero sentir-me
    Definitivamente ser ninguém,
E de mim mesmo, altivo, demitir-me
    Por não ter procedido bem.

Falhei a tudo, mas sem galhardias,
    Nada fui, nada ousei e nada fiz,
Nem colhi nas urtigas dos meus dias
    A flor de parecer feliz.

Mas fica sempre, porque o pobre é rico
    Em qualquer cousa, se procurar bem,
A grande indiferença com que fico.
    Escrevo-o para o lembrar bem.

(2/7/1931)

*

No céu da noite que começa
Nuvens de um vago negro brando
Numa ramagem pouco espessa
Vão no ocidente tresmalhando.[29]

---

29. Perdendo o rumo.

Aos sonhos que não sei me entrego
Sem nada procurar sentir
E estou em mim como em sossego,
Pra sono falta-me dormir.

Deixei atrás nas horas ralas
Caídas uma outra ilusão
Não volto atrás a procurá-las,
Já estão formigas onde estão.

(27/7/1931)

*

INCIDENTE

Dói-me no coração
Uma dor que me envergonha...
Quê! Esta alma que sonha
O âmbito todo do mundo
Sofre de amor e tortura
Por tão pequena cousa...
Uma mulher curiosa
E o meu tédio profundo?

(1931)

*

Não fiz nada, bem sei, nem o farei,
Mas de não fazer nada isto tirei,
Que fazer tudo e nada é tudo o mesmo,
Quem sou é o espectro do que não serei.

Vivemos aos encontros do abandono
Sem verdade, sem dúvida nem dono.

Boa é a vida, mas melhor é o vinho.
O amor é bom, mas é melhor o sono.

(1931)

*

Vê-la faz pena de 'sperança,
Loura, olha azul com expansão.
Tem um sorriso de criança:
Sorri até ao coração.

Não saberia ter desdém.
Criança adulta, [...]
Parece quase mal que alguém
Venha a violá-la por mulher.

Seus olhos, lagos de alma de água,
Têm céus de uma intenção menina.
De eu vê-la, ri-me a minha mágoa
Tornada loura e feminina.
[...]

(7/9/1931)

*

Uma maior solidão
Lentamente se aproxima
Do meu triste coração.

Enevoa-se-me o ser
Como um olhar a cegar,
A cegar, a escurecer.

Jazo-me sem nexo, ou fim...
Tanto nada quis de nada,
Que hoje nada o quer de mim.

(23/10/1931)

*

Chove. Que fiz eu da vida?
Fiz o que ela fez de mim...
De pensada, mal vivida...
Triste de quem é assim!

Numa angústia sem remédio
Tenho febre na alma, e, ao ser,
Tenho saudade, entre o tédio.
Só do que nunca quis ter...

Quem eu pudera ter sido,
Que é dele? Entre ódios pequenos
De mim, 'stou de mim partido.
Se ao menos chovesse menos!

(23/10/1931)

*

Vem dos lados da montanha
Uma canção que me diz
Que, por mais que a alma tenha,
Sempre há de ser infeliz.

O mundo não e seu lar
E tudo que ele lhe der
São coisas que estão a dar
A quem não quer receber.

Diz isto? Não sei. Nem voz
Ouço, música, à janela
Onde me medito a sós
Como o luzir de uma estrela.

(14/11/1931)

*

Desperto sempre antes que raie o dia
E escrevo com o sono que perdi.
Depois, neste torpor em que a alma é fria,
Aguardo a aurora, que já tantas vi.

Fito-a sem atenção, cinzento verde
Que se azula de galos a cantar.
Que mau é não dormir? A gente perde
O que a morte nos dá pra começar.

Oh Primavera quietada, aurora,
Ensina ao meu torpor, em que a alma é fria,
O que é que na alma lívida a colora
Com o que vai acontecer no dia.

(14/11/1931)

*

Clareia cinzenta a noite de chuva,
Que o dia chegou.
E o dia parece um traje de viúva
Que já desbotou.

Ainda sem luz, salvo o claro do escuro,
O céu chove aqui,
E ainda é um além, ainda é um muro
Ausente de si,

Não sei que tarefa terei este dia;
Que é inútil já sei...
E fito, de longe, minha alma, já fria
Do que não farei.

(14/11/1931)

*

A Lua (dizem os ingleses)
É feita de queijo verde.
Por mais que pense mil vezes
Sempre uma ideia se perde.

E era essa, era, era essa,
Que haveria de salvar
Minha alma da dor da pressa
De... não sei se é desejar.

Sim, todos os meus desejos
São de estar sentir pensando...
A Lua (dizem os ingleses)
É azul de quando em quando.

(14/11/1931)

*

As lentas nuvens fazem sono,
O céu azul faz bom dormir.
Boio, num íntimo abandono,
À tona de me não sentir.

E é suave, como um correr de água,
O sentir que não sou alguém,
Não sou capaz de peso ou mágoa.
Minha alma é aquilo que não tem.

Que bom, à margem do ribeiro
Saber que é ele que vai indo...
E só em sono eu vou primeiro,
E só em sonho eu vou seguindo.

(25/12/1931)

*

Tão linda e finda a memoro!
    Tão pequena a enterração!
Quem me entalou este choro
    Nas goelas do coração?

(25/12/1931)

*

Há um frio e um vácuo no ar.
'Stá sobre tudo a pairar,
Cinzento-preto, o luar.

Luar triste de antemanhã
De outro dia e sua vã
'Sperança e inútil afã.

É como a morte de alguém
Que era tudo que a alma tem
E que não era ninguém.

Absurdo erro disperso
No 'spaço, água onde é imerso
O cadáver do universo

É como o meu coração
Frio da vaga opressão
Da antemanhã da visão.

(23/2/1932)

*

E toda a noite a chuva veio
E toda a noite não parou,
E toda a noite o meu anseio

No som da chuva triste e cheio
Sem repousar se demorou.

E toda a noite ouvi o vento
Por sobre a chuva irreal soprar
E toda a noite o pensamento
Não me deixou um só momento
Como uma maldição do ar.

E toda a noite não dormida
Ouvi bater meu coração
Na garganta da minha vida.

(1932)

*

CEIFEIRA

Mas não, é abstrata, é uma ave
De som volteando no ar do ar.
E a alma canta sem entrave
Pois que o canto é que faz cantar.

(1932)

*

Eu tenho ideias e razões.
Conheço a cor dos argumentos
E nunca chego aos corações.

(1932)

*

Não, não é nesse lago entre rochedos,
Nem nesse extenso e espúmeo beira-mar,

Nem da floresta ideal cheia de medos
Que me fito a mim mesmo e vou pensar.

É aqui, neste quarto de uma casa,
Aqui entre paredes sem paisagem,
Que vejo o romantismo, que foi asa
Do que ignorei de mim, seguir viagem.

É em nós que há os lagos todos e as florestas
Se vemos claro no que somos, é
Não porque as ondas quebrem as arestas
Verdes em branco [...]

(26/4/1932)

*

Tenho principalmente não ter nada,
Dormir seria sono se o tivesse.

(26/4/1932)

*

Pálida sombra esvoaça
Como só fingindo ser
Por entre o vento que passa
E altas nuvens a correr.

Mal se sabe se existiu,
Se foi erro tê-la visto,
Sombra de sombra fluiu
Entre tudo de onde disto.

Nem me resta uma memória,
É como se alguém confuso
Se não lembrasse da história.

(1932)

O PESO DE HAVER O MUNDO

Passa no sopro da aragem
Que um momento o levantou
Um vago anseio de viagem
Que o coração me toldou.

Será que em seu movimento
A brisa lembre a partida,
Ou que a largueza do vento
Lembre o ar livre da ida?

Não sei, mas subitamente
Sinto a tristeza de estar
O sonho triste que há rente
Entre sonhar e sonhar.

(19/5/1932)

*

Lembro-me ou não? Ou sonhei?
Flui como um rio o que sinto.
Sou já quem nunca serei
Na certeza em que me minto.

O tédio de horas incertas
Pesa no meu coração,
Paro ante as portas abertas
Sem escolha nem decisão.

(13/6/1932)

*

Basta pensar em sentir
Para sentir em pensar.
Meu coração faz sorrir
Meu coração a chorar.
Depois de parar de andar.
Depois de ficar e ir,
Hei de ser quem vai chegar
Para ser quem quer partir.

Viver é não conseguir.

(14/6/1932)

*

Como nuvens pelo céu
Passam os sonhos por mim.
Nenhum dos sonhos é meu
Embora eu os sonhe assim.

São coisas no alto que são
Enquanto a vista as conhece.
Depois são sombras que vão
Pelo campo que arrefece.

Símbolos? Sonhos? Quem torna
Meu coração ao que foi?
Que dor de mim me transtorna?
Que coisa inútil me dói?

(17/6/1932)

*

Porque sou tão triste ignoro
Nem porque sentir em mim
Lágrimas que eu choro assim;

Desde menino me choro
E ainda não me achei fim.

(28/7/1932)

*

O que o seu jeito revela
Sabe à vista como um gomo.
E a vida tem fome dela
Nos dentes do seu assomo.

E nele mesmo, vibrante
A esse corpo de amor,
Espreita, próximo e distante,
O seu tigre interior.

(1932)

*

Nos jardins municipais
As flores também são flores.
Assim, na vida e no mais,
Que a vida é de estupores,

Podemos todos ser nossos
E fluir como quem somos.
Quando a casa é só destroços
É que a fruta é só de gomos.

(1932)

*

Por que, ó Sagrado, sobre a minha vida
Derramaste o teu verbo?
Por que há de a minha partida
A coroa de espinhos da verdade [?]

Antes eu era sábio sem cuidados,
Ouvia, à tarde finda, entrar o gado
E o campo era solene e primitivo.
Hoje que da verdade sou o escravo
Só no meu ser tenho [,] de a ter [.] o travo[30],
Estou exilado aqui e morto vivo.

Maldito o dia em que pedi a ciência!
Mais maldito o que a deu porque me a deste!
Que é feito dessa minha inconsciência
Que a consciência, como um traje, veste?
Hoje sei quase tudo e fiquei triste...
Porque me deste o que pedi, ó Santo?
Sei a verdade, enfim, do Ser que existe.
Prouvera a Deus que eu não soubesse tanto!

(1932)

*

Quando já nada nos resta
É que o mudo sol é bom.
O silêncio da floresta
É de muitos sons sem som.

Basta a brisa pra sorriso.
Entardecer é quem esquece.
Dá nas folhas o impreciso,
E mais que o ramo estremece.

Ter tido 'sperança fala
Como quem conta a cantar.
Quando a floresta se cala
Fica a floresta a falar.

(9/8/1932)

---

30. Amargor.

*

Aquele peso em mim – meu coração.

(1932)

*

O sol dourava-te a cabeça loura.
És morta. Eu vivo. Ainda há mundo e aurora.

(1932)

*

A aranha do meu destino
Faz teias de eu não pensar.
Não soube o que era em menino,
Sou adulto sem o achar.
É que a teia, de espalhada
Apanhou-me o querer ir...
Sou uma vida balouçada
Na consciência de existir.
A aranha da minha sorte
Faz teia de muro a muro...
Sou presa do meu suporte.

(10/8/1932)

*

Ah, só eu sei
Quanto dói meu coração
Sem fé nem lei,
Sem melodia nem razão.

Só eu, só eu,
E não o posso dizer

Porque sentir é como o céu,
Vê-se mas não há nele que ver.

(10/8/1932)

*

No meu sonho estiolaram
As maravilhas de ali,
No meu coração secaram
As lágrimas que sofri.
Mas os que amei não acharam
Quem eu era, se era em si,
E a sombra veio e notaram
Quem fui e nunca senti.

(10/8/1932)

*

Lâmpada deserta,
No átrio sossegado.
Há sombra desperta
Onde se ergue o estrado.

No estrado está posto
Um caixão floral.
No átrio está exposto
O corpo fatal.

Não dizem quem era
No sonho que teve.
E a sombra que o espera
É a vida em que esteve.

(10/8/1932)

*

Ah, como incerta, na noite em frente,
De uma longínqua tasca vizinha
Uma ária antiga, subitamente,
Me faz saudades do que as não tinha.

A ária é antiga? É-o a guitarra.
Da ária mesma não sei, não sei.
Sinto a dor-sangue, não vejo a garra.
Não choro, e sinto que já chorei.

Qual o passado que me trouxeram?
Nem meu nem de outro, é só passado:
Todas as coisas que já morreram
A mim e a todos, no mundo andado.

É o tempo, o tempo que leva a vida
Que chora e choro na noite triste.
É a mágoa, a queixa mal definida
De quanto existe, só porque existe.

(14/8/1932)

*

Vinha elegante, depressa,
Sem pressa e com um sorriso,
E eu, que sinto co a cabeça,
Fiz logo o poema preciso.

No poema não falo dela
Nem como, adulta menina,
Virava a esquina daquela
Rua que é a eterna esquina...

No poema falo do mar,
Descrevo a onda e a mágoa.

Relê-lo faz-me lembrar
Da esquina dura – ou da água.

(14/8/1932)

*

Lá fora onde árvores são
O que se mexe a parar
Não vejo nada senão,
Depois das árvores, o mar.

É azul intensamente,
Salpicado de luzir,
E tem na onda indolente
Um suspirar de dormir.

Mas nem durmo eu nem o mar,
Ambos nós, no dia brando,
E ele sossega a avançar
E eu não penso e estou pensando.

(14/8/1932)

*

Nada que sou me interessa.
Se existe em meu coração
Qualquer cousa que tem pressa
Terá pressa em vão.

Nada que sou me pertence.
Se existo em que me conheço
Qualquer cousa que me vence
Depressa a esqueço.

Nada que sou eu serei.
Sonho, e só existe em meu ser,

Um sonho do que terei.
Só que o não hei de ter.

(24/8/1932)

*

O ponteiro dos segundos
É o exterior de um coração.
Conta a minutos os mundos,
Que os mundos são sensação.

Vejo, como quem não vê
Seu curso em círculo dar
Um sentido aqui ao pé
Do universo todo no ar.
[..]

(29/8/1932)

*

Em outro mundo, onde a vontade é lei.
Livremente escolhi aquela vida
Com que primeiro neste mundo entrei.
Livre, a ela fiquei preso e eu a paguei
Com o preço das vidas subsequentes
De que ela é a causa, o deus; e esses entes,
Por ser quem fui, serão o que serei.

Por que pesa em meu corpo e minha mente
Esta miséria de sofrer? Não foi
Minha a culpa e a razão do que me dói.

Não tenho hoje memória, neste sonho
Que sou de mim, de quanto quis ser eu.
Nada de nada surge do medonho
Abismo de quem sou em Deus, do meu

Ser anterior a mim, a me dizer
Quem sou, esse que fui quando no céu,
Ou o que chamam céu, pude querer.

Sou entre mim e mim o intervalo —
Eu, o que uso esta forma definida
De onde para outra ulterior resvalo.
Em outro mundo [...]

(1932)

*

Minhas mesmas emoções
São coisas que me acontecem.

(31/8/1932)

*

Depois que o som da terra, que é não tê-lo,
Passou, nuvem obscura, sobre o vale
E uma brisa afastando meu cabelo
Me diz que fale, ou me diz que cale,
A nova claridade veio, e o sol
Depois, ele mesmo, e tudo era verdade,
Mas quem me deu sentir e a sua prole?
Quem me vendeu nas hastas da vontade?
Nada. Uma nova obliquação da luz,
Interregno factício onde a erva esfria.
E o pensamento inútil se conduz
Até saber que nada vale ou pesa.
E não sei se isto me ensimesma ou alheia,
Nem sei se é alegria ou se é tristeza.

(13/9/1932)

*

Rala cai chuva. O ar não é escuro. A hora
Inclina-se na haste; e depois volta.
Que bem a fantasia se me solta!
Com que vestígios me descobre agora!

Tédio dos interstícios, onde mora
A fazer de lagarto. – O muro escolta
E esse muro sou eu e o que em mim chora.
A minha eterna angústia de revolta

Não digas mais, pois te ignorei cativo...
Teus olhos lembram o que querem ser,
Murmúrio de águas sobre a praia, e o esquivo
Langor do poente que me faz esquecer.
Que real que és! Mas eu, que vejo e vivo,
Perco-te, e o som do mar faz te perder.

(1932)

*

Eh, como outrora era outra a que eu não tinha!
Como amei quando amei! Ah, como eu via
Como e com olhos de quem nunca lia
Tinha o trono onde ter uma rainha.
Sob os pés seus a vida me espezinha.
Reclinando-te tão bem? A tarde esfria...
Ó mar sem cais nem lado na maresia,
Que tens comigo, cuja alma é a minha?

Sob uma umbela de chá embaixo estamos
E é súbita a lembrança
Da velha quinta e do espalmar dos ramos
Sob os quais a merendar – Oh, amor da glória!
Fecharam-me os olhos para toda a história!
Como sapos saltamos e erramos...

*

Oscila o incensório antigo
Em fendas e ouro ornamental.
Sem atenção absorto sigo
Os passos lentos do ritual

Mas são os braços invisíveis
E são os cantos que não são
E os incensórios de outras, níveis
Que vê e ouve o coração.

Ah, sempre que o ritual acerta
Seus passos e seus ritmos bem,
O ritual que não há desperta
E a alma é o que é, não o que tem.

Oscila o incensório visto,
Ouvidos cantos 'stão no ar,
Mas o ritual a que eu assisto
É um ritual de relembrar.

No grande Templo antenatal,
Antes de vida e alma e Deus...
E o xadrez do chão ritual
É o que é hoje a terra e os céus...

(22/9/1932)

*

Quase anônima sorris
E o sol doura o teu cabelo,
Por que é que, pra ser feliz,
É preciso não sabê-lo?

(23/9/1932)

*

Ouço sem ver, e assim, entre o arvoredo,
Vejo ninfas e faunos entremear
As árvores que fazem sombra ou medo
E os ramos que sussurram de eu olhar.

Mas que foi que passou? Ninguém o sabe.
Desperto, e ouço bater o coração –
Aquele coração em que não cabe
O que fica da perda da ilusão.

Eu quem sou, que não sou meu coração?
(24/9/1932)

*

Por que esqueci quem fui quando criança?
Por que deslembra quem então era eu?
Por que não há nenhuma semelhança
Entre quem sou e fui?
A criança que fui vive ou morreu?
Sou outro? Veio um outro em mim viver?
A vida, que em mim flui, em que é que flui?
Houve em mim várias almas sucessivas
Ou sou um só inconsciente ser?
(1932)

*

Ser consciente é talvez um esquecimento.
Talvez pensar um sonho seja, ou um sono.
Talvez dormir seja, um momento,
Voltar o 'spirito nosso a ser seu dono.

Quem me diz que o rochedo bruto e quedo
Não é o verdadeiro consciente –
O êxtase perene de uma mente
Que deixa o corpo hirto ser rochedo?

Só a morte o diz – mas quem me diz que o diz?

(1932)

*

Uma névoa de outono o ar raro vela,
Cores de meia-cor pairam no céu.
O que indistintamente se revela,
Árvores, casas, montes, nada é meu.

Sim, vejo-o, e pela vista sou seu dono.
Sim, sinto-o eu pelo coração, o como.
Mas entre mim e ver há um grande sono.
De sentir é só a janela a que eu assomo.

Amanhã, se estiver um dia igual,
Mas se for outro, porque é amanhã,
Terei outra verdade, universal,
E será como esta [...]

(5/11/1932)

*

Que suave é o ar! Como parece
Que tudo é bom na vida que há!
Assim meu coração pudesse
Sentir essa certeza já.

Mas não; ou seja a selva escura
Ou seja um Dante mais diverso,

A alma é literatura
E tudo acaba em nada e verso.

(6/11/1932)

*

Do seu longínquo reino cor-de-rosa,
Voando pela noite silenciosa,
A fada das crianças vem, luzindo.
Papoulas a coroam, e, cobrindo
Seu corpo todo, a tornam misteriosa.

À criança que dorme chega leve,
E, pondo-lhe na fronte a mão de neve,
Os seus cabelos de ouro acaricia –
E sonhos lindos, como ninguém teve,
A sentir a criança principia.

E todos os brinquedos se transformam
Em coisas vivas, e um cortejo formam:
Cavalos e soldados e bonecas,
Ursos e pretos, que vêm, vão e tornam,
E palhaços que tocam em rabecas...

E há figuras pequenas e engraçadas
Que brincam e dão saltos e passadas...
Mas vem o dia, e, leve e graciosa.
Pé ante pé, volta a melhor das fadas
Ao seu longínquo reino cor-de-rosa.

(1932)

*

Entre o sossego e o arvoredo,
Entre a clareira e a solidão,

Meu devaneio passa a medo
Levando-me a alma pela mão.
É tarde já, e ainda é cedo.
[...]

(1932)

*

Não quero ir onde não há luz,
Do outro lado abóbada do solo,
Ínfera imensa cripta, não mais ver
As flores, nem o curso ao sol de rios,
Nem onde as estações que se sucedem
Mudam no campo o campo. Ali, no escuro.
Só sombras murmuras, êxuis de tudo.
Salvo da saudade, eternas moram;
Região aos mesmos íncolas incógnita,
Dos naturais, se os tem, desconhecida.
Ali talvez só lírios cor de cinza

Surgirão pálidos da noite imota.[31]
Ali talvez só gelo com as águas,
Como a cegos, serão, e o surdo curso,
No côncavo sossego lamentoso,
Se acaso à vista habituada aclare,
Será como um cinzento tédio externo.

Não quero o pátrio sol de toda a terra
Deixar atrás, descendo, passo a passo,
A escadaria cujos degraus são
Sucessivos aumentos de negrume,
Até ao extremo solo e noite inteira.

---

31. Permanente.

Para que vim a esta clara vida?
Para que vim, se um dia hei de cair
Da haste dela? Para que no solo
Se abre o poço da ida? Por que não
Será sem o fim [?...]

(16/11/1932)

*

Nesta vida, em que sou meu sono,
Não sou meu dono,
Quem sou é quem me ignoro e vive
Através desta névoa que sou eu
Todas as vidas que eu outrora tive,
Numa só vida.
Mar sou; baixo marulho ao alto rujo,
Mas minha cor vem do meu alto céu,
E só me encontro quando de mim fujo.

Quem quando eu era infante me guiava
Senão a vera alma que em mim estava?
Atada pelos braços corporais,
Não podia ser mais.
Mas, certo, um gesto, olhar ou esquecimento
Também, aos olhos de quem bem olhou,
A Presença Real sob o disfarce
Da minha alma presente sem intento.

(11/12/1932)

*

Vejo passar os barcos pelo mar,
As velas, como asas do que vejo
Trazem-me um vago e íntimo desejo
De ser quem fui, sem eu saber que foi.

Por isso tudo lembra o meu ser lar,
E, porque o lembra, quanto sou me dói.

(1932)

*

Vai pela estrada que na colina
É um risco branco na encosta verde –
Risco que em arco sobe e declina
E, sem que iguale, se à vista perde –,

A cavalgada, formigas, cores,
De gente grande que aqui passou.
Eram dois sexos multicolores
E riram muitos por onde estou.

Por certo alegres assim prosseguem.
Quem porém sabe se o não sou mais –
Eu, só de vê-los e como seguem;
Eu, só de achá-los todos iguais?

Eles para eles são um do outro;
Pra mim são todos – a cavalgada –,
Numa alegria, distante e neutro,
Que a nenhum deles pode ser dada.

Os sentimentos não têm medida,
Nem, de uns para outros, comparação.
Vai já na curva que é a descida
A cavalgada meu coração.

(15/12/1932)

*

Vi passar, num mistério concedido,
Um cavaleiro negro e luminoso

Que, sob um grande pálio[32] rumoroso,
Seguia lento com o seu sentido.

Quatro figuras que lembrando olvido
Erguiam alto as varas, e um lustroso
Torpor de luz dormia tenebroso
Nas dobras desse pano estremecido.

Na fronte do vencido ou vencedor
Uma coroa pálida de espinhos

Lhe dava um ar de ser rei e senhor.

[...]

(16/12/1932)

*

Ladram uns cães a distância,
Cai uma tarde qualquer,
Do campo vem a fragrância
De campo, e eu deixo de ver.

Um sonho meio sonhado,
Em que o campo transparece,
Está em mim, está a meu lado,
Ora me lembra ou me esquece.

E assim neste ócio profundo
Sem males vistos ou bens,
Sinto que todo este mundo
É um largo onde ladram cães.

(25/12/1932)

*

---

32. Espécie de dossel sustido por varas, debaixo do qual vai o sacramento nas procissões ou os reis nos cortejos.

Leves véus velam, nuvens vãs, a lua.
Crepúsculo na noite..., e é triste ver,
Em vez da límpida amplitude nua
Do céu, a noite e o céu a escurecer.

A noite é úmida de conhecer,
Sem que umidade de água seja sua.
[...]

(9/1/1933)

*

Quero, terei –
Se não aqui,
Noutro lugar que inda não sei.
Nada perdi.
Tudo serei.

(9/1/1933)

*

É um campo verde e vasto,
    Sozinho sem saber,
De vagos gados pasto,
    Sem águas a correr.

Só campo, só sossego,
    Só solidão calada.
Olho-o, e nada nego
    E não afirmo nada.

Aqui em mim me exalço[33]
    No meu fiel torpor.
O bem é pouco e falso,
    O mal é erro e dor.

---

33. O mesmo que exalto.

Agir é não ter casa,
    Pensar é nada ter.
Aqui nem luzes [?] ou asa
    Nem razão para a haver.

E um vago sono desce
    Só por não ter razão,
E o mundo alheio esquece
    À vista e ao coração.

Torpor que alastra e excede
    O campo e o gado e os ver.
A alma nada pede
    E o corpo nada quer.

Feliz sabor de nada,
    Insciência do mundo.
Aqui sem porto ou estrada,
    Nem horizonte ao fundo.

(24/1/1933)

*

Falhei. Os astros seguem seu caminho.
Minha alma, outrora um universo meu,
É hoje, sei, um lúgubre escaninho
De consciência sob a morte e o céu.

Falhei. Quem sou vivi só de supô-lo.
O que tive por meu ou por haver
Fica sempre entre um polo e o outro polo
Do que me nunca há de pertencer.

Falhei. Enfim! Consegui ser quem sou,
O que é já nada, com a lenha velha

Onde, pois valho só quando me dou,
Pegarei facilmente uma centelha.

(1/2/1933)

*

Deixei de ser aquele que esperava,
Isto é, deixei de ser quem nunca fui...
Entre onda e onda a onda não se cava,
E tudo, em ser conjunto, dura e flui.

A seta treme, pois que, na ampla aljava,
O presente ao futuro cria e inclui.
Se os mares erguem sua fúria brava
É que a futura paz seu rastro obstrui.

Tudo depende do que não existe.
Por isso meu ser mudo se converte
Na própria semelhança, austero e triste.

Nada me explica. Nada me pertence.
E sobre tudo a lua alheia verte
A luz que tudo dissipa e nada vence.

(10/2/1933)

*

Vai alta a nuvem que passa,
Branca, desfaz-se a passar,
Até que parece no ar
Sombra branca que esvoaça.

Assim no pensamento
Alta vai a intuição,
Mas desfaz-se em sonho vão
Ou em vago sentimento.

E se quero recordar
O que foi nuvem ou sentido
Só vejo alma ou céu despido
Do que se desfez no ar.

(15/6/1933)

*

A novela inacabada,
Que o meu sonho completou.
Não era de rei ou fada
Mas era de quem não sou.

Para além do que dizia
Dizia eu quem não era...
A primavera floria
Sem que houvesse primavera.

Lenda do sonho que vivo,
Perdida por a salvar...
Mas quem me arrancou o livro
Que eu quis ter sem acabar?

(18/7/1933)

*

Nada. Passaram nuvens e eu fiquei...
No ar limpo não há rasto.
Surgiu a lua de onde já não sei,
Num claro luar vasto.

Todo o espaço da noite fica cheio
De um peso sossegado...
Onde porei o meu futuro, e o enleio
Que o liga ao meu passado?

(25/10/1933)

*

Eu me resigno. Há no alto da montanha
Um penhasco saído,
Que, visto de onde toda coisa é estranha,
Deste vale escondido,
Parece posto ali para o não termos,
Para que, vendo-o ali,
Nos contentemos só com o aí vermos
No nosso eterno aqui...

Eu me resigno. Esse penhasco agudo
Talvez alcançarão
Os que na força de irem põem tudo.
De teu próprio silêncio nulo e mudo,
Não vás, meu coração.

(28/10/1933)

*

A minha camisa rota
(Pois não tenho quem me a cosa)
É parte minha na rota
Que vai para qualquer cousa,
Pois o estar rota denota
Que a minha [...]

Mas sei que a camisa é nada,
Que um rasgão não é mal,
E que a camisa rasgada
Não me traz a alma enganada,
Em busca do Santo Graal.

(31/10/1933)

*

Canta onde nada existe
O rouxinol para seu bem (?),
Ouço-o, cismo, fico triste
E a minha tristeza também (?)

Janela aberta, para onde
Campos de não haver são
O onde a dríade se esconde
Sem ser imaginação.

Quem me dera que a poesia
Fosse mais do que a escrever!
Canta agora a cotovia
Sem se lembrar de viver...

(7/12/1933)

*

Durmo, cheio de nada, e amanhã
É, em meu coração,
Qualquer cousa sem ser, pública e vã
Dada a um público vão.

O sono! este mistério entre dois dias
Que traz ao que não dorme
À terra de aqui visões nuas, vazias,
Num outro mundo enorme.

O sono! que cansaço me vem dar
O que não mais me traz
Que uma onda lenta, sempre a ressacar,
Sobre o que a vida faz?!

(11/12/1933)

*

Tenho esperança? Não tenho.
Tenho vontade de a ter?
Não sei. Ignoro a que venho,
Quero dormir e esquecer.

Se houvesse um bálsamo da alma,
Que a fizesse sossegar,
Cair numa qualquer calma
Em que, sem sequer pensar,

Pudesse ser toda a vida,
Pensar todo o pensamento –
Então [...]

(11/12/1933)

*

Náusea. Vontade de nada.
Existir por não morrer.
Como as casas têm fachada,
Tenho este modo de ser.

Náusea. Vontade de nada.
Sento-me à beira da estrada.
Cansado já no caminho
Passo pra o lugar vizinho.

Mais náusea. Nada me pesa
Senão a vontade presa
Do que deixei de pensar
Como quem fica a olhar...

(12/12/1933)

*

O vento sopra lá fora.
Faz-me mais sozinho e agora
Porque não choro, ele chora.

É um som abstrato e fundo.
Vem do fim vago do mundo.
Seu sentido é ser profundo.

Diz-me que nada há em tudo.
Que a virtude não é escudo
E que o melhor é ser mudo.

(27/12/1933)

*

Sopra o vento, sopra o vento.
Sopra alto o vento lá fora;
Mas também meu pensamento
Tem um vento que o devora.

Há uma íntima intenção
Que tumultua em meu ser
E faz do meu coração
O que um vento quer varrer;

Não sei se há ramos deitados
Abaixo no temporal,
Se pés do chão levantados
Num sopro onde tudo é igual.

Dos ramos que ali caíram
Sei só que há mágoas e dores
Destinadas a não ser
Mais que um desfolhar de flores.

(28/12/1933)

*

Vai lá longe, na floresta,
Um som de sons a passar,
Como de gnomos em festa
Que não consegue durar...

É um som vago e distinto.
Parece que entre o arvoredo
Quando seu rumor é extinto
Nasce outro som em segredo.

Ilusão ou circunstância?
Nada? Quanto atesta, e o que há
Num som, é só distância
Ou o que nunca haverá.

(1/2/1934)

*

Pálida, a Lua permanece
No céu que o Sol vai invadir.
Ah, nada interessante esquece.
Saber, pensar – tudo é existir.

Mas pudesse o meu coração
Saber à tona do que eu sou
Que existe sempre a sensação
Ainda quando ela acabou...

(4/3/1934)

*

Dorme, criança, dorme,
Dorme que eu velarei;
A vida é vaga e informe,

O que não há é rei.
Dorme, criança, dorme,
Que também dormirei.

Bem sei que há grandes sombras
Sobre áleas de esquecer,
Que há passos sobre alfombras
De quem não quer viver;
Mas deixa tudo às sombras,
Vive de não querer.

(16/3/1934)

*

Verdadeiramente
Nada em mim sinto.
Há uma desolação
Em quanto eu sinto.
Se vivo, parece que minto.
Não sei do coração.

Outrora, outrora
Fui feliz, embora
Só hoje saiba que o fui.
E este que fui e sou,
Margens, tudo passou
Porque flui.

(6/4/1934)

*

O que é vida e o que é morte
Ninguém sabe ou saberá
Aqui onde a vida e a sorte
Movem as cousas que há.

Mas, seja o que for o enigma
De haver qualquer cousa aqui,
Terá de mim próprio o estigma
Da sombra em que eu o vivi.

(10/4/1934)

*

Sabes quem sou? Eu não sei.
Outrora, onde o nada foi,
Fui o vassalo e o rei.
É dupla a dor que me dói.
Duas dores eu passei.

Fui tudo que pode haver.
Ninguém me quis esmolar;
E entre o pensar e o ser
Senti a vida passar
Como um rio sem correr.

(12/4/1934)

*

Tenho escrito muitos versos,
Muitas cousas a rimar,
Dadas em ritmos diversos
Ao mundo e ao seu olvidar.

Nada sou, ou fui de tudo.
Quanto escrevi ou pensei
É como o filho de um mudo –
"Amanhã eu te direi."

E isto só por gesto e esgar,
Feito de nadas em dedos

Como uma luz ao passar
Por onde havia arvoredos.

(12/4/1934)

*

Renego, lápis partido,
Tudo quanto desejei.
E nem sonhei ser servido
Para onde nunca irei.

Pajem metido em farrapos
Da glória que outros tiveram,
Poderei amar os trapos
Por ser tudo que me deram.

E irei, príncipe mendigo,
Colher, com a boa gente,
Entre o ondular do trigo
A papoula inteligente.

(12/4/1934)

*

Se eu me sentir sono,
E quiser dormir,
Naquele abandono
Que é o não sentir,

Quero que aconteça
Quando eu estiver
Pousando a cabeça,
Não num chão qualquer,

Mas onde sob ramos
Uma árvore faz

A sombra em que bebamos,
A sombra da paz.

(20/4/1934)

*

Flui, indeciso na bruma,
Mais do que a bruma indeciso,
Um ser que é coisa a achar
E a quem nada é preciso.

Quer somente consistir
No nada que o cerca ao ser,
Um começo de existir
Que acabou antes de o ter.

É o sentido que existe
Na aragem que mal se sente
E cuja essência consiste
Em passar incertamente.

(26/4/1934)

*

Nesta grande oscilação
Entre crer e mal descrer
Transtorna-se o coração
Cheio de nada saber;

E, alheado do que sabe
Por não saber o que é,
Só um instante lhe cabe,
Que é o conhecer a fé –

A fé, que os astros conhecem
Porque é a aranha que está

Na teia, que todos tecem,
E é a vida que antes há.

(5/5/1934)

*

Sonho sem fim nem fundo.
Durmo, frustro e infecundo.
Deus dorme, e é isso o mundo.

Mas se eu dormir também
Um sono qual Deus tem
Talvez eu sonhe o Bem –

O Bem do Mal que existo.
Esse sonho, que avisto,
Em mim chamo-lhe o Cristo.

Agora o seu ser ausente,
Surge o que há de presente
Na ausência, eternamente.

Não foi em cruz erguida
Num calvário da vida,
Mas numa cruz vivida

Que foi crucificado
O que foi, em seu lado,
Por lança golpeado.

E desse coração
Água e sangue virão
Mas a verdade não...

Só quando já, descido
De aonde foi subido
Para ser escarnecido,

Seu corpo for baixar
Onde se há de enterrar,
O haverei de encontrar.

Desde que o mundo foi
No mundo à alma dói
O que ao mundo destrói.

Desde que a vida dura
Tem a vida a amargura
De ser mortal e impura.

E assim na Cruz se fez
A vida, para que a nós
Veja o melhor de nós.

O túmulo fechado
Aberto foi achado
E vazio encontrado.

Meu coração também
É o túmulo do Bem,
Que a vida bem não tem.

Mas há um anjo a me ver
E a meu lado a dizer
Que tudo é outro ser.

(2/7/1934)

*

Eram varões todos,
Andavam na floresta
Sem motivo e sem modos
E a razão era esta.

E andando iam cantando
O que não pude ser,
Nesse tom mole e brando
Como um anoitecer.

Em querer cantar quanto
Não há nem é e dói
E que tem disso o encanto
De tudo quanto foi.

(1934)

*

Não digas nada! Que hás me de dizer?
Que a vida é inútil, que o prazer é falso?
Di-lo de cada dia a cadafalso
Ao que ali cada dia vai morrer.
Mais vale não querer.

Sim, não querer, porque querer é um ponto,
Ponto no horizonte de onde estamos,
E que nunca atinges nem achas,
Presos locais da vida e do horizonte
Sem asas e sem ponte.

Não digas nada, que dizer é nada!
Que importa a vida, e o que se faz na vida?
É tudo uma ignorância diluída.
Tudo é esperar à beira de uma estrada
A vinda sempre adiada.

Outros são os caminhos e as razões.
Outra a vontade que os fará seus.
Outros os montes e os solenes céus.

(8/7/1934)

*

Do fundo do fim do mundo
Vieram me perguntar
Qual era o anseio fundo
Que me fazia chorar.

E eu disse. "É esse que os poetas
Têm tentado dizer
Em obras sempre incompletas
Em que puseram seu ser."

E assim com um gesto nobre
Respondi a quem não sei
Se me houve por rico ou pobre.

(14/7/1934)

*

Tenho em mim como uma bruma
Que nada é nem contém
A saudade de cousa nenhuma,
O desejo de qualquer bem.

Sou envolvido por ela
Como por um nevoeiro
E vejo luzir a última estrela
Por cima da ponta do meu cinzeiro.

Fumei a vida. Que incerto
Tudo quanto vi ou li!
E todo o mundo é um grande livro aberto
Que em ignorada língua me sorri.

(16/7/1934)

*

CANTO A LEOPARDI[34]

[...]
Ah, mas da voz exânime[35] pranteia
O coração aflito respondendo:
"Se é falsa a ideia, quem me deu a ideia?
Se não há nem bondade nem justiça
Por que é que anseia o coração na liça
Os seus inúteis mitos defendendo?

Se é falso crer num deus ou num destino
Que saiba o que é o coração humano,
Por que há o humano coração e o tino
Que tem, do bem e o mal? Ah, se é insano
Querer justiça, por que na justiça
Querer o bem, para que o bem querer?
Que maldade, que [...], que injustiça
Nos fez pra crer, se não devemos crer?

Se o dúbio e incerto mundo,
Se a vida transitória
Têm noutra parte o íntimo e profundo
Sentido, e o quadro último da história,
Por que há um mundo transitório e incerto
Onde ando por incerteza e transição,
Hoje um mal, uma dor, e [...], aberto
Um só dorido coração?"
[...]

Assim, na noite abstrata da Razão,
Inutilmente, majestosamente,
Dialoga consigo o coração,
Fala alto, a si mesma a mente;

---

34. Referência a Giacomo Leopardi, um dos maiores poetas italianos, cuja obra revela pessimismo, melancolia e ceticismo.
35. Sem alento.

E não há paz nem conclusão,
Tudo é como se fora inexistente.

(1934)

*

Teu perfil, teu olhar real ou feito,
Lembra-me aquela eterna ocasião
Em que eu amei Semíramis,[36] eleito
Daquela plácida visão.

Amei-a, é claro, sem que o tempo e espaço
Tivesse nada com o meu amor.
Por isso guardo desse amor escasso
O meu amor maior.

Mas, ao olhar-te, lembro, e reverbera
Quem fui em quem eu sou.
Quando eu amei Semíramis, já era
Tarde no Fado, e o amor passou.

Quanta perdida voz cantou também
Nos séculos perdidos que hoje são
Uma memória irreal do coração!
Quanta voz viva, hoje de ninguém!

(21/7/1934)

*

Como é por dentro outra pessoa
Quem é que o saberá sonhar?
A alma de outrem é outro universo
Com que não há comunicação possível,
Com que não há verdadeiro entendimento.

---
36. Rainha mitológica.

Nada sabemos da alma
Senão da nossa;
As dos outros são olhares.
São gestos, são palavras,
Com a suposição de qualquer semelhança
No fundo.

(1934)

*

A lâmpada nova
No fim de apagar
Volta a dar a prova
De estar a brilhar.

Assim a alma sua
Deveras desperta
Quando a noite é nua
E se acha deserta.

Vestígio que ergueu
Sem ser no lugar
De onde se perdeu...
Nasce devagar!

(3/8/1934)

*

Vaga saudade, tanto
Dóis como a outra que é
A saudade de quanto
Existiu aqui ao pé.

Tu, que és do que nunca houve,
Punges como o passado
A que existir não aprouve.

(3/8/1934)

*

Onde quer que o arado o seu traço consiga
E onde a fonte, correndo, com a sua água siga
O caminho que, justo, as calhas lhe darão,
Aí, porque há a paz, está meu coração.
Bem sei que o som do mar vem de além dos outeiros
E que do seu bom som os ímpetos primeiros
Turvam de ser diverso o natural da hora,
Quando o campo a não houve e a solidão a ignora.
Mas qualquer cousa falsa desce e se insinua
Nos anos que são vestígios sob a Lua.

(5/8/1934)

*

O sol que doura as neves afastadas
No inútil cume de altos montes quedos
Faz no vale luzir rios e estradas
E torna as verdes árvores brinquedos...

Tudo é pequeno, salvo o cume frio.
De onde quem pensa que do alto não vê
Vê tudo mínimo, num desvario
De quem da altura olhe quanto é.

(22/8/1934)

*

Ah quero as relvas e as crianças!
Quero o coreto com a banda!
Quero os brinquedos e as danças –
A corda com que a alma anda.

Quero ver todas brincar
Num jardim onde se passa,

Para ver se posso achar
Onde está minha desgraça.

Ah, mas minha desgraça está
Em eu poder querer isto –
Poder desejar o que há.

(22/8/1934)

*

Deixem-me o sono! Sei que é já manhã.
Mas se tão tarde o sono veio,
Quero, desperto, inda sentir a vã
Sensação do seu vago enleio.

Quero, desperto, não me recusar
A estar dormindo ainda,
E, entre a noção irreal de aqui estar,
Ver essa noção finda.

Quero que me não neguem quem não sou
Nem que, debruçado eu
Da varanda por sobre onde não estou,
Nem sequer veja o céu.

(1934)

*

Deixei atrás os erros do que fui,
Deixei atrás os erros do que quis
E que não pude haver porque a hora flui
E ninguém é exato nem feliz.

Tudo isso como o lixo da viagem
Deixei nas circunstâncias do caminho,

No episódio que fui e na paragem,
No desvio que foi cada vizinho.

Deixei tudo isso, como quem se tapa.
Por viajar com uma capa sua,
E a certa altura se desfaz da capa
E atira com a capa para a rua,

(23/8/1934)

*

Não digas nada!
Não, nem a verdade!
Há tanta suavidade
Em nada se dizer
E tudo se entender –
Tudo metade
De sentir e de ver...
Não digas nada!
Deixa esquecer.

Talvez que amanhã
Em outra paisagem
Digas que foi vã
Toda esta viagem
Até onde quis
Ser quem me agrada.
Mas ali fui feliz...
Não digas nada.

(23/8/1934)

*

Ah, verdadeiramente a deusa! –
A que ninguém viu sem amar

E que já o coração endeusa
Só com somente a adivinhar.

Por fim magnânima aparece
Naquela perfeição que é
Uma estátua que a vida aquece
E faz da mesma vida fé.

Ah, verdadeiramente aquela
Com que no túmulo do mundo
O morto sonha, como a estrela
Que há de surgir no céu profundo.

(3/9/1934)

*

Teu inútil dever
Quanta obra faça cobrirá a terra
Como ao que a fez, nem haverá de ti
Mais que a breve memória.

(1934)

*

Começa, no ar da antemanhã,
A haver o que vai ser o dia.
É uma sombra entre as sombras vã.
Mais tarde, quanto é a manhã
Agora é nada, noite fria.

É nada, mas é diferente
Da sombra em que a noite está:
E há nela já a nostalgia
Não do passado, mas do dia
Que é afinal o que será.

(12/9/1934)

*

A montanha por achar
Há de ter, quando a encontrar,
Um templo aberto na pedra
Da encosta onde nada medra.

O santuário que tiver,
Quando o encontrar, há de ser
Na montanha procurada
E na gruta ali achada.

A verdade, se ela existe,
Ver-se-á que só consiste
Na procura da verdade,
Porque a vida é só metade.

(21/9/1934)

*

A ciência, a ciência, a ciência...
Ah, como tudo é nulo e vão!
A pobreza da inteligência
Ante a riqueza da emoção!

Aquela mulher que trabalha
Como uma santa em sacrifício,
Com quanto esforço dado ralha!
Contra o pensar, que é o meu vício!

A ciência! Como é pobre e nada!
Rico é o que alma dá e tem.
[...]

(4/10/1934)

*

A criança que ri na rua,
A música que vem no acaso,
A tela absurda, a estátua nua,
A bondade que não tem prazo –

Tudo isso excede este rigor
Que o raciocínio dá a tudo,
E tem qualquer cousa de amor,
Ainda que o amor seja mudo.

(4/10/1934)

*

Sim, já sei...
Há uma lei
Que manda que no sentir
Haja um seguir
Uma certa estrada
Que leva a nada.

Bem sei. É aquela
Que dizem bela
E definida
Os que na vida
Não querem nada
De qualquer estrada.

Vou no caminho
Que é meu vizinho
Porque não sou
Quem aqui estou.

(4/10/1934)

*

Era isso mesmo –
O que tu dizias,
E já nem falo
Do que tu fazias...

Era isso mesmo...
Eras outra já,
Eras má deveras,
A quem chamei má...

Eu não era o mesmo
Para ti, bem sei.
Eu não mudaria,
Não – nem mudarei...

Julgas que outro é outro.
Não: somos iguais.

(6/10/1934)

*

O som contínuo da chuva
A se ouvir lá fora bem
Deixa-nos a alma viúva
Daquilo que já não tem.
[...]

(1934)

*

Na véspera de nada
Ninguém me visitou.
Olhei atento a estrada
Durante todo o dia
Mas ninguém vinha ou via.
Ninguém aqui chegou.

Mas talvez não chegar
Queira dizer que há
Outra estrada que achar,
Certa estrada que está.
Como quando da festa
Se esquece quem lá está.

(11/10/1934)

*

Sob olhos que não olham – os meus olhos –
Passa o ribeiro, que nem sei se é
Rápido no lento passar incerto ao pé
Dos invisíveis espinhos e abrolhos
Da margem, minha estagnação sem fé.

É como um viandante que passasse
Por um muro de quinta abandonada
E, por não ter que olhá-lho, por ser nada
Para o seu interesse, o não olhasse.
Fiel somente ao nada sem a estrada.

(22/11/1934)

*

Não tenho que sonhar que possam dar-me
Um dia, vero ou falso, as rosas vãs
Entre que em sonhos mortos fui achar-me
No alvorecer de incógnitas manhãs.
Não tenho que sonhar o que renego
Antes do sonho e o recusar a ter.
Sou no que sou como na vida é um cego
A quem causou horror o poder ver.
Isto, ou quase isto... Só do sonho morto

Me fica uma imprecisa hesitação –
Como se a nau [...]

(22/11/1934)

*

Exígua lâmpada tranquila,
Quem te alumia e me dá luz,
Entre quem és e eu sou oscila.

(30/11/1934)

*

Na paz da noite, cheia de tanto durar,
Dos livros que li,
Que os li a sonhar, a mal meditar.
Nem vendo que os vi,
Ergo a cabeça [...] estonteada
Do lido e do vão
Do ler e vazio que há e fiz por noite acabada –
Não no meu coração.

(1934)

*

Criança, era outro...
Naquele em que me tornei
Cresci e esqueci.
Tenho de meu, agora, um silêncio, uma lei.
Ganhei ou perdi?

*

Onde, em jardins exaustos
Nada já tenha fim,
Forma teus fúteis faustos

De tédio e de cetim.
Meus sonhos são exaustos,
Dorme comigo e em mim.

*

SÁ CARNEIRO[37]

Nesse número do Orpheu *que há de ser feito
com rosas e estrelas em um mundo novo.*

Nunca supus que isto que chamam morte
Tivesse qualquer espécie de sentido...
Cada um de nós, aqui aparecido,
Onde manda a lei certa e falsa sorte,

Tem só uma demora de passagem
Entre um comboio e outro, entroncamento
Chamado o mundo, ou a vida, ou o momento;
Mas, seja como for, segue a viagem.

Passei, embora num comboio expresso
Seguisses, e adiante do em que vou;
No términus[38] de tudo, ao fim lá estou
Nessa ida que afinal é um regresso.

Porque na enorme gare onde Deus manda
Grandes acolhimentos se darão
Para cada prolixo coração
Que com seu próprio ser vive em demanda.

---

37. Poeta modernista português, fundador, junto com Fernando Pessoa, da revista *Orpheu*, que mudou todo o código poético luso.
38. No fim de tudo.

Hoje, falho de ti, sou dois a sós.
Há almas pares, as que conheceram
Onde os seres são almas.

Como éramos só um, falando! Nós
Éramos como um diálogo numa alma.
Não sei se dormes [...] calma,
Sei que, falho de ti, estou um a sós.

Ê como se esperasse eternamente
A tua vida certa e conhecida
Aí embaixo, no Café Arcada –
Quase no extremo deste [...]

Aí onde escreveste aqueles versos
Do trapézio, doriu-nos [...]
Aquilo tudo que dizes do "Orpheu".

Ah, meu maior amigo, nunca mais
Na paisagem sepulta desta vida
Encontrarei uma alma tão querida
Às coisas que em meu ser são as reais.
[...]

Não mais, não mais, e desde que saíste
Desta prisão fechada que é o mundo,
Meu coração é inerte e infecundo
E o que sou é um sonho que está triste.

Porque há em nós, por mais que consigamos
Ser nós mesmos a sós sem nostalgia,
Um desejo de termos, companhia –
O amigo como esse que a falar amamos.

(1934)

*

Música... Que sei eu de mim?
Que sei eu de haver ser ou estar?
Música... sei só que sem fim
Quero saber só de sonhar...

Música... Bem no que faz mal
À alma entregar-se a nada...
Mas quero ser animal
Da insuficiência enganada.

Música... Se eu pudesse ter,
Não o que penso ou desejo,
Mas o que não pude haver
E que até nem em sonhos vejo,

Se também eu pudesse fruir
Entre as algemas de aqui estar!
Não faz mal. Flui,
Para que eu deixe de pensar!

(1934)

*

A mão posta sobre a mesa,
A mão abstrata, esquecida,
Margem da minha vida...
A mão que pus sobre a mesa
Para mim mesmo é surpresa.
Porque a mão é o que temos
Ou define quem não somos.
Com ela aquilo fazemos
[...]

(11/12/1934)

*

Tudo quanto penso,
Tudo quanto sou
É um deserto imenso
Onde nem eu estou.

Extensão parada
Sem nada a estar ali,
Areia peneirada
Vou dar-lhe a ferroada
Da vida que vivi.
[...]

(11/3/1935)

*

Um dia baço mas não frio...
Um dia como
Se não tivesse paciência pra ser dia.
E só num assomo,
Num ímpeto vazio
De dever, mas com ironia,
Se desse luz a um dia enfim

Igual a mim,
Ou então
Ao meu coração,
Um coração vazio,
Não de emoção
Mas de buscar, enfim –
Um coração baço mas não frio.

(18/3/1935)

*

O amor é que é essencial.
O sexo é só um acidente.

Pode ser igual
Ou diferente.
O homem não é um animal:
É uma carne inteligente,
Embora às vezes doente.

(5/4/1935)

*

DOLORA

Dantes quão ledo afetava
Uma atroz melancolia!
Poeta triste ser queria
E por não chorar chorava.

Depois, tive que encontrar
A vida rígida e má.
Triste então chorava já
Porque tinha que chorar.

Num desolado alvoroço
Mais que triste não me ignoro.
Hoje em dia apenas choro
Porque já chorar não posso.

(19/11/1908)

*

NOVA ILUSÃO

No rarear dos deuses e dos mitos
Deuses antigos, vós ressuscitais

Sob a forma longínqua de ideais
Aos enganados olhos sempre aflitos.

Do que vós concebeis mais circunscritos,
Desdenhais a alma exterior dos ritos
E o sentimento que os gerou guardais.

Lá para além dos seres, ao profundo
Meditar, surge, grande e impotente
O sentimento da ilusão do mundo.

Os falsos ideais do Aparente
Não o atingem – único final
Neste entenebrecer universal.

(6/11/1909)

*

Às vezes, em sonho triste
Nos meus desejos existe
Longinquamente um país
Onde ser feliz consiste
Apenas em ser feliz.

Vive-se como se nasce
Sem o querer nem saber.
Nessa ilusão de viver
O tempo morre e renasce
Sem que o sintamos correr.

O sentir e o desejar
São banidos dessa terra.
O amor não é amor
Nesse país por onde erra
Meu longínquo divagar.

Nem se sonha nem se vive:
É uma infância sem fim.
Parece que se revive
Tão suave é viver assim
Nesse impossível jardim.

(21/11/1909)

*

ESTADO DE ALMA

Inutilmente vivida
Acumula-se-me a vida
Em anos, meses e dias;
Inutilmente vivida,
Sem dores nem alegrias,
Mas só em monotonias
De mágoa incompreendida...

Mágoa sem fogo de vida
Que a faça viva e sentida;
Mas a mágoa de mãos frias
E inaptas para arte ou lida,
Nem pra gestos de agonias
Ou mostras de alma vencida.
Nada: inerte e dolorida,
A minha dor se extasia
Por não ser, e tem só vida
Para em torno a noite fria
Sentir vaga e indefinida...

(18/1/1910)

*

TÉDIO

Não vivo, mal vegeto, duro apenas,
Vazio dos sentidos porque existo;
Não tenho infelizmente sequer penas
E o meu mal é ser (alheio Cristo)
Nestas horas doridas e serenas
Completamente consciente disto.

(12/5/1910)

*

Não sei o quê desgosta
A minha alma doente.
Uma dor suposta
Dói-me realmente.

Como um barco absorto
Em se naufragar
À vista do porto
E num calmo mar,

Por meu ser me afundo,
Pra longe da vista
Durmo o incerto mundo.

(26/7/1910)

*

Eis-me em mim absorto
Sem o conhecer
Boio no mar morto
Do meu próprio ser.

Sinto-me pesar
No meu sentir-me água..

Eis-me a balancear
Minha vida-mágoa.

Barco sem ter velas...
De quilha virada...
O céu com estrelas
É frio como espada.

E eu sou vento e céu...
Sou o barco e o mar...
Só que não sou eu...
Quero-o ignorar.

(12/5/1913)

*

DEUS

Às vezes sou o Deus que trago em mim
E então eu sou o Deus e o crente e a prece
E a imagem de marfim
Em que esse deus se esquece.

Às vezes não sou mais do que um ateu
Desse deus meu que eu sou quando me exalto.
Olho em mim todo um céu
E é um mero oco céu alto.

(3/6/1913)

*

Sou o fantasma de um rei
Que sem cessar percorre
As salas de um palácio abandonado...

Minha história não sei...
Longe de mim, fumo de eu pensá-la, morre
A ideia de que tive algum passado...

Eu não sei o que sou.
Não sei se sou o sonho
Que alguém do outro mundo esteja tendo...
Creio talvez que estou
Sendo um perfil casual de rei tristonho
Numa história que um deus está relendo...
       (19/10/1913)

*

Meus gestos não sou eu.
Como o céu não é nada,
O que em mim não é meu
Não passa pela estrada.

O som do vento dorme
No dia sem razão.
O meu tédio é enorme.
Todo eu sou vácuo e vão.

Se ao menos uma vaga
Lembrança me viesse
De melhor céu ou plaga
Que esta vida! Mas esse

Pensamento pensado
Como fim de pensar
Dorme no meu agrado
Como uma alga no mar.

E só no dia estranho
Ao que sinto e que sou

Passa quanto eu não tenho,
'Stá tudo onde eu não estou.

Não sou eu, não conheço,
Não possuo nem passo.
Minha vida adormeço
Não sei em que regaço.

(24/10/1913)

*

Oca de conter-me
Como a hora dói!
Pérfida de ter-me
Como me destrói
O meu ser inerme!

Ó meu ser sombrio!
Ó minha alma tal
Como se p'lo rio
Do meu ser igual
Sempre a mim, e frio

De noturno e meu,
Passasse, cantando,
Uma louca, olhando
Dum barco pro brando
Silêncio do céu.

(4/5/1914)

*

Dentro em meu coração faz dor.
Não sei donde essa dor me vem.
Auréola de ópio de torpor
Em torno ao meu falso desdém,

E laivos híbridos de horror
Como estrelas que o céu não tem.

Dentro em mim cai silêncio em flocos.
Parou o cavaleiro à porta...
E o frio, e o gelo em brancos blocos
Mancha de hirto a noite morta...
Meus tédios desiguais, sufoco-os,
A minha alma jaz ela e absorta

Dentro em meu pensamento é mágoa...
Corre por mim um arrepio
Que é como o afluxo à tona de água
De se saber que há sob o rio
O que... Brilha na noite a frágua
Onde o tédio bate o ócio a frio.

(7/8/1914)

*

O meu tédio não dorme.
Cansado existe em mim
Como uma dor informe
Que não tem causa ou fim.

(19/6/1915)

*

ALGA

Paira na noite calma
O silêncio da brisa...
Acontece-me à alma
Qualquer cousa imprecisa...

Uma porta entreaberta...
Um sorriso em descrença...
Uma ânsia que não acerta
Com aquilo em que pensa.

Sonha, duvida, elevo-a
Até quem me suponho
E a sua voz de névoa
Roça pelo meu sonho...

(24/7/1916)

*

SCHEHERAZAD

O que eu penso não sei e é alegria
Pensá-lo; nada sou, salvo a harmonia
Interior entre existir e ouvir
A música cantar-te e dissuadir
Da vida e desta inútil atenção
Ao útil dada, morta [?] sensação
Real, passada
E à minha mente [?] inutilmente dada.

(26/11/1916)

*

O mundo rui a meu redor, escombro a escombro.
Os meus sentidos oscilam, bandeira rota ao vento.
Que sombra de que o sol enche de frio e de assombro
A estrada vazia do conseguimento?

Busca um porto longe uma nau desconhecida
E esse é todo o sentido da minha vida.

Por um mar azul noturno, estrelado no fundo,
Segue a sua rota a nau exterior ao mundo.

Mas o sentido de tudo está fechado no pasmo
Que exala a chama negra que acende em meu
                                      [entusiasmo

Súbitas confissões de outro que eu fui outrora
Antes da vida e viu Deus e eu não o sou agora.
                                      (10/2/1917)

*

L'HOMME[39]

Não: toda a palavra é a mais. Sossega!
Deixa, da tua voz, só o silêncio anterior!
Como um mar vago a uma praia deserta, chega
    Ao meu coração a dor.

Que dor? Não sei. Quem sabe saber o que sente?
Nem um gesto. Sobreviva apenas ao que tem que
                                      [morrer
O luar e a hora e o vago perfume indolente
    E as palavras por dizer.
                                      (12/6/1918)

*

Porque vivo, quem sou, o que sou, quem me leva?
Que serei para a morte? Para a vida o que sou?
A morte no mundo é a treva na terra.
Nada posso. Choro, gemo, cerro os olhos e vou.

---

39. O homem.

Cerca-me o mistério, a ilusão e a descrença
Da possibilidade de ser tudo real.
Ó meu pavor de ser, nada há que te vença!
A vida como a morte é o mesmo Mal!

(5/3/1919)

*

No alto da tua sombra, a prumo sobre
A inconstância irreal de vida e dias,
Achei-me só e vi que as agonias
Da vida, o tédio as finda e a morte as cobre.

Ali, no alto de ser, sentir é nobre,
Despido de ilusões e de ironias.
Não sinto as mãos unidas, que estão frias,
Não sei de mim, o que fui era pobre.

Mas mesmo nessa altura de mistério
E abismo de ascensão, não encontrei
Paragem, conclusão ou refrigério.

Deixei atrás o acaso de viver,
O ser sempre outrem, a escondida lei,
Caos de existirmos, névoa de o saber.

(14/9/1919)

*

À NOITE

O silêncio é teu gêmeo no Infinito.
Quem te conhece, sabe não buscar.
Morte visível, vens dessedentar
O vago mundo, o mundo estreito e aflito.

Se os teus abismos constelados fito,
Não sei quem sou ou qual o fim a dar
A tanta dor, a tanta ânsia par
Do sonho, e a tanto incerto em que medito.

Que vislumbre escondido de melhores
Dias ou horas no teu campo cabe?
Véu nupcial do fim de fins e dores.

Nem sei a angústia que vens consolar-me.
Deixa que eu durma, deixa que eu acabe
E que a luz nunca venha despertar-me!

(14/9/1919)

*

VENDAVAL

Ó vento do norte, tão fundo e tão frio,
Não achas, soprando por tanta solidão,
Deserto, penhasco, coval[40] mais vazio
Que o meu coração!

Indômita praia, que a raiva do oceano
Faz louco lugar, caverna sem fim,
Não são tão deixados do alegre e do humano
Como a alma que há em mim!

Mas dura planície, praia atra[41] em fereza[42],
Só têm a tristeza que a gente lhes vê;

---

40. Cova, sepultura.
41. Lúgubre, funesta.
42. Crueldade.

E nisto que em mim é vácuo e tristeza
É o visto o que vê.

Ah, mágoa de ter consciência da vida!
Tu, vento do norte, teimoso, iracundo,
Que rasgas os robles – teu pulso divida
Minh'alma do mundo!

Ah, se, como levas as folhas e a areia,
A alma que tenho pudesses levar –
Fosse pr'onde fosse, pra longe da ideia
De eu ter que pensar!

Abismo da noite, da chuva, do vento,
Mar torvo do caos que parece volver –
Porque é que não entras no meu pensamento
Para ele morrer?

Horror de ser sempre com vida a consciência!
Horror de sentir a alma sempre a pensar!
Arranca-me, ó vento; do chão da existência,
De ser um lugar!

E, pela alta noite que fazes mais'scura,
Pelo caos furioso que crias no mundo,
Dissolve em areia esta minha amargura,
Meu tédio profundo.

E contra as vidraças dos que há que têm lares,
Telhados daqueles que têm razão,
Atira, já pária desfeito dos ares,
O meu coração!

Meu coração triste, meu coração ermo,
Tornado a substância dispersa e negada

Do vento sem forma, da noite sem termo,
Do abismo e do nada!

(12/10/1919)

*

No limiar que não é meu
Sento-me e deixo o irrefletido olhar
Encher-se, sem eu ver, de campo e céu,
Se é tarde ou cedo, deixo de notar.
Nada me diz de si qualquer cousa que eu
Possa gozar.

Pelos campos sem fim
Sinto correr, porque na face o sinto,
Um vago vento, estranho todo a mim.
Não sei se penso, ou em que dor consinto
Que seja minha ou desespero sem ter fim,
Ou se minto.

Na inútil hora
Eu, mais inútil que ela, sem sentir
Fito com um olhar que já nem chora
A Dor ou desdém, dolo ou infiel sorrir,
O absurdo céu onde nenhuma cousa mora
Para eu fruir.

Apenas, vaga
Não uma esp'rança, mas uma saudade
Do tempo em que a esperança, como vaga,
Dava na praia da minha ansiedade,
Me toma e um surdo marulhar meu ser alaga
De vacuidade.

Mas acordo e com vão
Olhar ainda, mas já diferente,

Por 'star ausente dele o coração,
E eu outra vez, nem mesmo descontente,
Fito o céu calmo, o campo, a alegre solidão
Inconsciente.

Nada, só o dia –
Se é tarde ou cedo continuo a errar –,
Alheio a mim, a tudo dá a alegria
De não ter coração com que agitar
O corpo. E, quando vier a noite, tudo esfria
Mas sem chorar.

Isto e eu comigo
Posto no eterno aquém das cousas calmas
Que a vida externa mostra ao céu amigo –
Campos ao sol, vivas flores almas.
Isto só e não ter o coração abrigo
Nem sol as almas.

(16/2/1920)

*

Ó curva do horizonte, quem te passa,
Passa da vista, não de ser ou 'star.
Não chameis à alma, que da vida esvoaça,
Morta. Dizei: Sumiu-se além no mar.

Ó mar, sê símbolo da vida toda –
Incerto, o mesmo e mais que o nosso ver!
Finda a viagem da morte e a terra à roda,
Voltou a alma e a nau a aparecer.

(11/1/1922)

*

Lá fora a vida estua[43] e tem dinheiro.
Eu, aqui, nulo e afastado, fico
O perpétuo estrangeiro
Que nem de sonhar já sou rico.

Não sou ninguém, o meu trabalho é nada
Neste enorme rolar da vida cheia,
Vivo uma vida que nem é regrada
Nem é destrambelhada e alheia.

E um século depois terá esquecido
Tudo quanto estou e foi ruído
Nesta hora em que vivo. E os bisnetos
Dos opressores de hoje, desta louca luta
Saberão, mas vagamente, a data
— E claramente os meus sonetos.

(2/9/1922)

*

Nas grandes horas em que a insônia avulta
Como um novo universo doloroso,
E a mente é clara com um ser que insulta
O uso confuso com que o dia é ocioso,

Cismo, embebido em sombras de repouso
Onde habitam fantasmas e a alma é oculta,
Em quanto errei e quanto ou dor ou gozo
Me farão nada, como frase estulta.

Cismo, cheio de nada, e a noite é tudo.
Meu coração, que fala estando mudo,
Repete seu monótono torpor

---

43. O mesmo que agitar.

Na sombra, no delírio da clareza,
E não há Deus, nem ser, nem Natureza
E a própria mágoa melhor fora dor.

(31/8/1929)

*

Dormi. Sonhei. No informe labirinto
Que há entre a vida e a morte me perdi.
E o que, na vaga viagem, eu senti
Com exata memória não o sinto.

Se quero achar-me em mim dizendo-o, minto.
A vasta teia, estive-a e não a vi.
Obscuramente me desconcebi.

(7/7/1930)

*

Não sei quantas almas tenho.
Cada momento mudei.
Continuamente me estranho.
Nunca me vi nem achei.
De tanto ser, só tenho alma.
Quem tem alma não tem calma.
Quem vê é só o que vê,
Quem sente não é quem é,

Atento ao que sou e vejo,
Torno-me eles e não eu.
Cada meu sonho ou desejo
É do que nasce e não meu.
Sou minha própria paisagem,
Assisto à minha passagem,
Diverso, móbil e só,
Não sei sentir-me onde estou.

Por isso, alheio, vou lendo
Como páginas, meu ser.
O que segue não prevendo,
O que passou a esquecer.
Noto à margem do que li
O que julguei que senti.
Releio e digo: "Fui eu?"
Deus sabe, porque o escreveu.

(24/8/1930)

*

Tenho pena e não respondo.
Mas não tenho culpa enfim
De que em mim não correspondo
Ao outro que amaste em mim.

Cada um é muita gente.
Para mim sou quem me penso,
Para outros – cada um sente
O que julga, e é um erro imenso.

Ah, deixem-me sossegar.
Não me sonhem, nem me outrem.
Se eu não me quero encontrar,
Quererei que outros me encontrem?

(26/8/1930)

*

Passam na rua os cortejos
Das pessoas existentes.
Algumas vão ter ensejos,
Outras vão mudar de fato,
E outras são inteligentes.

Não conheço ali ninguém.
Nem a mim eu me conheço.
Olho-os sem nenhum desdém.
Também vou mudar de fato.
Também vivo e também esqueço.

Passam na rua comigo,
E eu e eles somos nós.
Todos temos um abrigo,
Todos mudamos de fato,
Ai, mas somos nus a sós.

(26/8/1930)

*

Passa entre as sombras de arvoredo
Um vago vento que parece
Que não passou, que passa a medo,
Ou que há porque desaparece.

O ouvido escuta o não ouvir,
A alma, no ouvido debruçada,
Sente uma angústia a não sentir
E quer melhor ou pior que nada.

É como quando a alma não tem
Quem ame, quem 'spere ou quem sinta,
Quando considera(ra) um bem
O próprio mal, des[de] que não minta.

E entre onde as sombras do arvoredo
Sequestram sons e brisas prendem,
Este não passar passa a medo
E certas folhas se desprendem.

Então porque há folhas que caem,
Volta a ilusão de haver o vento,
Mas elas, caindo hirtas, traem,
Que não há brisa no momento.

Oh, som sozinho dessa queda
Das folhas secas no ermo chão,
Oh, som de nunca usada seda
Apertada na inútil mão,

Com que terrível semelhança
A qualquer voz feita em bruxedo,
Lembrais a morte e a desesp'rança,
E o que não passa passa a medo.

(18/10/1930)

*

Na orla do vento movem
Seus corpos mortos as folhas.
E ora das árvores chovem,
Ora onde inertes não movem
A chuva do Outono molha-as.

Não há no meu pensamento
Vontade com que o pensar,
Não tenho neste momento
Nada no meu pensamento:
Sou como as folhas ao ar.

Mas elas certo não sentem
Esta mágoa inteira e funda
Que meus sentidos consentem.
Nada são e nada sentem
Da minha mágoa profunda.

(19/1/1931)

*

Cai amplo o frio e eu durmo na tardança
De adormecer.
Sou, sem lar, nem conforto, nem esperança,
Nem desejo de os ter.

E um choro por meu ser me inunda
A imaginação.
Saudade vaga, anônima, profunda,
Náusea da indecisão.

Frio do Inverno duro, não te tira
Agasalho ou amor.
Dentro em meus ossos teu tremor delira.
Cessa, seja eu quem for!

(19/1/1931)

*

No chão do céu o Sol que acaba arde.
Durmo. Haja a vida com ou sem alarde,
Será já tarde quando eu despertar?
Mas que me importa que já seja tarde?

(12/2/1931)

*

Sonhei. Desperto. Um tédio doloroso
De ter sonhado, ou então de despertar,
Me ocupa o espírito indeciso e ocioso.
Sou como o movimento do alto mar,
Que parece existir sem avançar.

Não me lembro qual foi o sonho ido,
Nem se portanto a sua ausência dói.

Grandes e vagas coisas hei dormido.
Sou como o alto mar quando o Sol foi:
Uma novela imensa sem herói.

Nem mesmo sei se o sonho deixa mágoas.
Que sei eu do que sou ou quero ter?
Sou como o alto mar da noite: as águas
No mesmo movimento a ter que ser,
Um som, um brilho escuro, arrefecer...

(13/3/1931)

*

Quando é que o cativeiro
Acabará em mim,
E, próprio dianteiro,
Avançarei enfim?

Quando é que me desato
Dos laços que me dei?
Quando serei um fato?
Quando é que me serei?

Quando, ao virar da esquina
De qualquer dia meu,
Me acharei alma digna
Da alma que Deus me deu?

Quando é que será quando?
Não sei. E até então
Viverei perguntando:
Perguntarei em vão.

(13/3/1931)

*

No fundo do pensamento
Tenho por sono um cantar,
Um cantar velado e lento,
Sem palavras a falar.

Se eu o pudesse tornar
Em palavras de dizer
Todos haviam de achar
O que ele está a esconder.

Todos haviam de ter
No fundo do pensamento
A novidade de haver
Um cantar velado e lento.

E cada um, desatento
Da vida que tem que achar,
Teria o contentamento
De ouvir esse meu cantar.

(17/3/1931)

*

Não tenho quinta nenhuma.
Se a quero ter pra sonhar,
Tenho que a extrair da bruma
Do meu mole meditar.

E então, desfazendo a névoa
Que há sempre dentro de nós,
Progressivamente elevo-a
Até uma quinta a sós.

Vejo os tanques, vejo as calhas
Por onde a água vai pequena,

Vejo os caminhos com falhas,
Vejo a eira erma e serena.

E, contente deste nada
Que em mim mesmo faço externo,
Gozo a frescura relvada
Da não quinta em que me interno.

Vilegiatura[44] impossível,
Dou-lhe nós para lembrar,
E esqueço-a ao primeiro nível
Do meu mole meditar.

(30/3/1931)

*

Guardo ainda, como um pasmo
Em que a infância sobrevive,
Metade do entusiasmo
Que tenho porque já tive.

Quase às vezes me envergonho
De crer tanto em que não creio.
É uma espécie de sonho
Com a realidade ao meio.

Girassol do falso agrado
Em torno do centro mudo
Fala, amarelo, pasmado
Do negro centro que é tudo.

(18/4/1931)

*

---

44. Temporada que se passa fora da terra.

Se penso mais que um momento
Na vida que eis a passar,
Sou para o meu pensamento
Um cadáver a esperar.

Dentro em breve (poucos anos
É quanto vive quem vive),
Eu, anseios e enganos,
Eu, quanto tive ou não tive,

Deixarei de ser visível
Na terra onde dá o Sol,
E, ou desfeito e insensível,
Ou ébrio de outro arrebol,

Terei perdido, suponho,
O contato quente e humano
Com a terra, com o sonho,
Com mês a mês e ano a ano.

Por mais que o Sol doure a face
Dos dias, o espaço mudo
Lembra-nos que isso é disfarce
E que é a noite que é tudo.

(1/5/1931)

*

Não digas que, sepulto, já não sente
O corpo, ou que a alma vive eternamente.
Que sabes tu do que não sabes? Bebe!
Só tens de certo o nada do presente.

Depois da noite, ergue-se do remoto
Oriente, com um ar de ser ignoto,

Frio, o crepúsculo da madrugada...
Do nada do meu sono ignaro broto.

Deixa aos que buscam o buscar, e a quem
Busca buscar julgar que busca bem.
Que temos nós com Deus e ele conosco?
Com qualquer coisa o, que é que uma outra tem?

Sultão após sultão esta cidade
Passou, e hora após hora a vida, que há de
Durar nela enquanto ela aqui durar,
Nem ao sultão ou a nós deu a verdade.

(30/5/1931)

*

Quando estou só reconheço
Se por momentos me esqueço
Que existo entre outros que são
Como eu sós, salvo que estão
Alheados desde o começo.

E se sinto quanto estou
Verdadeiramente só,
Sinto-me livre mas triste.
Vou livre para onde vou,
Mas onde vou nada existe.

Creio contudo que a vida
Devidamente entendida
É toda assim, toda assim.
Por isso passo por mim
Como por cousa esquecida.

(9/8/1931)

*

Quanto fui jaz. Quanto serei não sou.
No intervalo entre o que sou e estou,
A natureza, exterior, tem Sol.
Mas, se tem Sol, há Sol. Ao Sol me dou.

Não queiras, com submissa segurança,
Ter saudade de ter esperança.
Tem antes saudade de a não ter.
Sê anônimo, súbito e criança.

Nada 'speres, que nada salvo nada
Obtém que[m] 'spera: é como quem à estrada
Lance olhos de esperar que alguém lhe chegue
Só porque a estrada é feita para andada.

Ninguém suporta o peso mau dos dias
Salvo por interpostas alegrias.
Bebe, que assim serás o intervalo
Entre o que criarás e o que não crias.

Quantas vezes o mesmo poente alheio
Sobre meu sonho, como um sonho, veio!
Quantas vezes o tive por augusto!
Tantas, tornado noite, perde o enleio.

Bebe. Se escutas, ouves só o ruído
Que ervas ou folhas trazem ao ouvido.
É do vento, que é nada. Assim é o mundo:
Um movimento regular de olvido.

(4/10/1932)

*

Olhando o mar, sonho sem ter de quê.
Nada no mar, salvo o ser mar, se vê.

Mas de se nada ver quanto a alma sonha!
De que me servem a verdade e a fé?

Ver claro! Quantos, que fatais erramos,
Em ruas ou em estradas ou sob ramos,
Temos esta certeza e sempre e em tudo
Sonhamos e sonhamos e sonhamos.

As árvores longínquas da floresta
Parecem, por longínquas, 'star em festa.
Quanto acontece porque se não vê!
Mas do que há ou não há o mesmo resta.

Se tive amores? Já não sei se os tive.
Quem ontem fui já hoje em mim não vive.
Bebe, que tudo é líquido e embriaga,
E a vida morre enquanto o ser revive.

Colhes rosas? Que colhes, se hão de ser
Motivos coloridos de morrer?
Mas colhe rosas. Porque não colhê-las
Se te agrada e tudo é deixar de o haver?

(20/1/1933)

*

Quando, com razão ou sem,
Sobre o medo amplo da alma
A sombra da morte vem,
É que o espírito vê bem,
Com clareza mas sem calma,
Que sombra é a vida que passa,
Que mágoa é a vida que cessa,
E ama a vida mais.

(10/2/1933)

*

Tudo foi dito antes que se dissesse.
O vento aflora vagamente a messe,
E deixa-a porque breve se apagou.
Assim é tudo-nada. Bebe e esquece.

Na eterna sesta de não desejar
Deixa-te, bêbado e asceta, estar.
Lega o amor aos outros, que a beleza
Foi feita só para se contemplar.

(24/2/1933)

*

Na noite em que não durmo
Não dorme
O relógio também.
Pus na alma esvurmo.
É enorme
O que a treva contém.

Podridão da alma, moribundo
Do que me julguei ser,
Ouço o mundo.
É um vento surdo e fundo,
Que do abismo profundo
Vela o meu morrer.

Indiferente assisto
Ao cadaverizar
Do que sou.
Em que alma ou corpo existo?
Vou dormir ou despertar?
Onde estou se não estou?

Nada. É na treva onde fala
O relógio fatal,
Uma grande, anônima sala,
Uma grande treva onde se cala,
Um grande bem que sabe a mal,
Uma vida que se desiguala,
Uma morte que não sabe a que é igual.

(13/3/1933)

*

I

Sim, farei...; e hora a hora passa o dia...
Farei, e dia a dia passa o mês...
E eu, cheio sempre só do que faria,
Vejo que o que faria se não fez,
De mim, mesmo em inútil nostalgia.

Farei, farei... Anos os meses são
Quando são muitos-anos, toda a vida,
Tudo... E sempre a mesma sensação
Que qualquer cousa há de ser conseguida,
E sempre quieto o pé e inerte a mão...

Farei, farei, farei... Sim, qualquer hora
Talvez me traga o esforço e a vitória,
Mas será só se mos trouxer de fora.
Quis tudo – a paz, a ilusão, a glória...
Que obscuro absurdo na minha alma chora?

II

Farei talvez um dia um poema meu,
Não qualquer cousa que, se eu a analiso,
É só a teia que se em mim teceu
De tanto alheio e anônimo improviso
Que ou a mim ou a eles esqueceu...

Um poema próprio, em que me vá o ser,
Em que eu diga o que sinto e o que sou,
Sem pensar, sem fingir e sem querer,
Como um lugar exato, o onde estou,
E onde me possam, como sou, me ver.

Ah, mas quem pode ser quem é? Quem sabe
Ter a alma que tem? Quem é quem é?
Sombras de nós, só refletir nos cabe.
Mas refletir, ramos irreais, o quê?
Talvez só o vento que nos fecha e abre.

III

Sossega, coração! Não desesperes!
Talvez um dia, para além dos dias,
Encontres o que queres porque o queres.
Então, livre de falsas nostalgias,
Atingirás a perfeição de seres.

Mas pobre sonho o que só quer não tê-lo!
Pobre esperança a de existir somente!
Como quem passa a mão pelo cabelo
E em si mesmo se sente diferente,
Como faz mal ao sonho o concebê-lo!

Sossega, coração, contudo! Dorme!
O sossego não quer razão nem causa.

Quer só a noite plácida e enorme,
A grande, universal, solene pausa
Antes que tudo em tudo se transforme.

(2/8/1933)

*

Todas as cousas que há neste mundo
Têm uma história,
Exceto estas rãs que coaxam no fundo
Da minha memória.

Qualquer lugar neste mundo tem
Um onde estar,
Salvo este charco de onde me vem
Esse coaxar.

Ergue-se em mim uma lua falsa
Sobre juncais,
E o charco emerge, que o luar realça
Menos e mais.

Onde, em que vida, de que maneira
Fui o que lembro
Por este coaxar das rãs na esteira
Do que deslembro?

Nada. Um silêncio entre juncos dorme.
Coaxam ao fim
De uma alma antiga que tenho enorme
As rãs sem mim.

(13/8/1933)

*

De além das montanhas,
De além do luar,

Vêm formas estranhas.
São gêmeas do vento,
São só pensamento.
Mudam as entranhas
De as ouvir passar.

Cavalgada rindo
Seu curso do além,
Vem vindo, vem vindo,
E tremem janelas,
Velam-se as estrelas
(E) os ramos, rugindo,
Falam como alguém.

Mas, súbito, aragem
Que perdeu o som,
Cessou a passagem
Do que tirou calma
Aos ramos e à alma.
Só se ouve a folhagem
Num sussurro bom.

E, abrindo a janela,
Contemplo, a mal ver,
Ao luar uma estrela
Tão vaga, tão vaga,
Que quase se apaga
Quem sabe se ela
Vai também levada,
Qual tanta faltada,
Nessa cavalgada
Que passou sem ser?

(5/9/1933)

*

A lavadeira no tanque
Bate roupa em pedra bem.
Canta porque canta e é triste
Porque canta porque existe;
Por isso é alegre também.

Ora se eu alguma vez
Pudesse fazer nos versos
O que a essa roupa ela fez,
Eu perderia talvez
Os meus destinos diversos.

Há uma grande unidade
Em, sem pensar nem razão,
E até cantando a metade,
Bater roupa em realidade...
Quem me lava o coração?

(15/9/1933)

*

Talhei, artífice de um morto rito,
Na esmeralda de haver um mundo feito
Um brasão circunscrito
No anel em que é perfeito.

Fiz dele o símbolo de um prazer morto?
De um sonho por haver?
Não sei: a nau do sonho não tem porto
E é inútil querer.

Se isto não tem sentido, as rãs coaxam
O sentido que tem.
Vou ver se acho nos charcos onde as acham
Se afinal sou alguém.

(15/9/1933)

*

Há em tudo que fazemos
Uma razão (?) singular:
É que não é o que qu'remos.
Faz-se porque nós vivemos,
E viver é não pensar.

Se alguém pensasse na vida,
Morria de pensamento.
Por isso a vida vivida
É essa coisa esquecida
Entre um momento e um momento.

Mas nada importa que o seja
Ou que até deixe de o ser:
Mal é que a moral nos reja,
Bom é que ninguém nos veja;
Entre isso fica viver.

(15/9/1933)

*

Meu coração tardou. Meu coração
Talvez se houvesse amor nunca tardasse;
Mas, visto que, se o houve, o houve em vão,
Tanto faz que o amor houvesse ou não.
Tardou. Antes, de inútil, acabasse.

Meu coração postiço e contrafeito
Finge-se meu. Se o amor o houvesse tido,
Talvez, num rasgo natural de eleito,
Seu próprio ser do nada houvesse feito,
E a sua própria essência conseguido.

Mas não. Nunca nem eu nem coração
Fomos mais que um vestígio de passagem
Entre um anseio vão e um sonho vão.
Parceiros em prestidigitação,
Caímos ambos pelo alçapão.
Foi esta a nossa vida e a nossa viagem.

(19/9/1933)

*

A miséria do meu ser,
Do ser que tenho a viver,
Tornou-se uma coisa vista.
Sou nesta vida um qualquer
Que roda fora da pista.

Ninguém conhece quem sou
Nem eu mesmo me conheço
E, se me conheço, esqueço.
Porque não vivo onde estou.
Rodo, e o meu rodar apresso.

É uma carreira invisível,
Salvo onde caio e sou visto,
Porque cair é sensível
Pelo ruído imprevisto...
Sou assim. Mas isto é crível?

(19/9/1933)

*

Vão na onda militar
Os soldados a marchar
Com a banda a lhes tocar
O como têm que andar...

Vou na onda que é a vida
Com uma banda escondida
A tocar como hei de estar
Entre essa marcha perdida.

Vou e durmo o meu caminho,
Como, no som do moinho,
Dorme o moleiro sozinho.
Durmo, mas sinto-me andar.

(19/9/1933)

*

I

A criança que fui chora na estrada.
Deixei-a ali quando vim ser quem sou;
Mas hoje, vendo que o que sou é nada,
Quero ir buscar quem fui onde ficou.

Ah, como hei de encontrá-lo? Quem errou
A vinda tem a regressão errada.
Já não sei de onde vim nem onde estou.
De o não saber, minha alma está parada.

Se ao menos atingir neste lugar
Um alto monte, de onde possa enfim
O que esqueci, olhando-o, relembrar.

Na ausência, ao menos, saberei de mim,
E, ao ver-me tal qual fui ao longe, achar
Em mim um pouco de quando era assim.

II

Dia a dia mudamos para quem
Amanhã não veremos. Hora a hora
Nosso diverso e sucessivo alguém
Desce uma vasta escadaria agora.

É uma multidão que desce, sem
Que um saiba de outros. Vejo-os meus e fora.
Ah, que horrorosa semelhança têm!
São um múltiplo mesmo que se ignora.

Olho-os. Nenhum sou eu, a todos sendo.
E a multidão engrossa, alheia a ver-me,
Sem que eu perceba de onde vai crescendo.

Sinto-os a todos dentro em mim mover-me,
E, inúmero, prolixo, vou descendo
Até passar por todos e perder-me.

III

Meu Deus! Meu Deus! Quem sou, que desconheço
O que sinto que sou? Quem quero ser
Mora, distante, onde meu ser esqueço,
Parte, remoto, para me não ter.

(22/9/1933)

*

(DREAM)[45]

Qualquer coisa de obscuro permanece
No centro do meu ser. Se me conheço,

---

45. Sonho.

É até onde, por fim mal, tropeço
No que de mim em mim de si se esquece.

Aranha absurda que uma teia tece
Feita de solidão e de começo
Fruste[46], meu ser anônimo confesso
Próprio e em mim mesmo a externa treva desce.

Mas, vinda dos vestígios da distância
Ninguém trouxe ao meu pálio por ter gente
Sob ele, um rasgo de saudade ou ânsia.

Remiu-se o pecador impenitente
À sombra e cisma. Teve a eterna infância.
Em que comigo forma um mesmo ente.

(23/9/1933)

*

Sonhei, confuso, e o sono foi disperso,
Mas, quando despertei da confusão,
Vi que esta vida aqui e este universo
Não são mais claros do que os sonhos são.

Obscura luz paira onde estou converso
A esta realidade da ilusão.
Se fecho os olhos, sou de novo imerso
Naquelas sombras que há na escuridão.

Escuro, escuro, tudo, em sonho ou vida,
É a mesma mistura de entresseres
Ou na noite, ou ao dia transferida.

---

46. Ordinário, comum.

Nada é real, nada em seus vãos moveres
Pertence a uma forma definida,
Rastro visto de coisa só ouvida.

(28/9/1933)

*

Se acaso, alheado até do que sonhei,
Me encontro neste mundo a sós comigo,
E, fiel ao que eu mesmo desprezei,
Meus passos falsos verdadeiros sigo,

Desperta em mim, contrário ao que esperei
Desta espécie de fuga, ou só abrigo,
Não o ajustar-se com a externa lei,
Mas o essa lei tomar como castigo.

Então, liberto já pela esperança
Deste mundo de formas e mudança,
Um pouco atinjo pela dor e a fé

Outro mundo, em sonho e vida são
Num nada nulo, igual em escuridão,
E ao fim de tudo surge o Sol do que é.

(28/9/1933)

*

Durmo ou não? Passam juntas em minha alma
Coisas da alma e da vida em confusão,
Nesta mistura atribulada e calma
Em que não sei se durmo ou não.

Sou dois seres e duas consciências
Como dois homens indo braço-dado.

Sonolento revolvo onisciências,
Turbulentamente estagnado.

Mas, lento, vago, emerjo de meu dois.
Desperto. Enfim: sou um, na realidade.
Espreguiço-me. Estou bem... Porque depois.
De quê, esta vaga saudade?

(2/10/1933)

*

Onde o sossego dorme
Como se fosse alguém
E à noite negra e enorme
Nem luar nem dia vem.

Ali, quieto, absorto
Em nada já saber,
Quero, quando for morto,
Consciente esquecer...

Deixada a vida incerta,
Perdida o gozo e a dor,
Sob essa noite aberta
Sonhar sem o supor...

Até que ao fim de uma era
Que o tempo não contou
O que eu não reavera
Se mude no que eu sou.

(19/11/1933)

*

Servo sem dor de um desolado intuito,
De nada creias ou descreias muito.

O mesmo faz que penses ou não penses.
Tudo é irreal, anônimo e fortuito.

Não sejas curioso do amplo mundo.
Ele é menos extenso do que fundo.
E o que não sabes nem saberás nunca
É isso o mais real e o mais profundo.

Troca por vinho o amor que não terás.
O que 'speras, perene o 'sperarás.
O que bebes, tu bebes. Olha as rosas.
Morto, que rosas é que cheirarás?

Vendo o tumulto inconsciente em que anda
A humanidade de uma a outra banda,
Não te nasce a vontade de dormir?
Não te cresce o desprezo de quem manda?

Duas vezes no ano, diz quem sabe,
Em Nishapor[47], onde me o mundo cabe,
Florem as rosas. Sobre mim sepulto
Essa dupla anuidade não acabe!

Traze o vinho, que o vinho, dizem, é
O que alegra a alma e o que, em perfeita fé.
Traz o sangue de um Deus ao corpo e à alma.
Mas, seja como for, bebe e não sê.

Com seus cavalos imperiais calcando
Os campos que o labor 'steve lavrando,
Passa o César de aqui. Mais tarde, morto,
Renasce a erva, nos campos alastrando.

---

47. Mais importante cidade do Irã na Idade Média.

Goza o Sultão de amor em quantidade.
Goza o Vizir[48] amor em qualidade.
Não gozo amor nenhum. Tragam-me vinho
E gozo de ser nada em liberdade.

                                                    (30/11/1933)

*

Boiam farrapos de sombra
Em torno ao que não sei ser.
É todo um céu que se escombra[49]
Sem me o deixar entrever.

O mistério das alturas
Desfaz-se em ritmos sem forma
Nas desregradas negruras
Com que o ar se treva torna.

Mas em tudo isto, que faz
O universo um ser desfeito,
Guardei, como a minha paz,
A 'sp'rança, que a dor me traz.
Apertada contra o peito.

                                                    (3/4/1934)

*

Tudo que sou não é mais do que abismo
Em que uma vaga luz
Com que sei que sou eu, e nisto cismo,
Obscura me conduz.

Um intervalo entre não ser e ser
Feito de eu ter lugar

---

48. Ministro do Sultão.
49. Esconde em névoa.

Como o pó, que se vê o vento erguer,
Vive de ele o mostrar.

(22/4/1934)

*

Sangra-me o coração. Tudo que penso
A emoção mo tomou. Sofro esta mágoa
Que é o mundo imoral, regrado e imenso,
No qual o bem é só como um incenso
Que cerca a vida, como a terra a água,

Todos os dias, ouça ou veja, dão
Misérias, males, injustiças – quanto
Pode afligir o estéril coração.
E todo anseio pelo bem é vão,
E a vontade tão vã como é o pranto.

Que Deus duplo nos pôs na alma sensível
Ao mesmo tempo os dons de conhecer
Que o mal é a norma, o natural possível,
E de querer o bem, inútil nível,
Que nunca assenta regular no ser?

Com que fria esquadria e vão compasso
Que invisível Geômetra regrou
As marés deste mar de mau sargaço –
O mundo fluido, com seu tempo e 'spaço,
Que ele mesmo não sabe quem criou?

Mas, seja como for, nesta descida
De Deus ao ser, o mal teve alma e azo;
E o Bem, justiça espiritual da vida,
É perdida palavra, substituída
Por bens obscuros, fórmulas do acaso.

Que plano extinto, antes de conseguido,
Ficou só mundo, norma e desmazelo?
Mundo imperfeito, porque foi erguido?
Como acabá-lo, templo inconcluído,
Se nos falta o segredo com que erguê-lo?

O mundo é Deus que é morto, e a alma aquele
Que, esse Deus exumado, refletiu
A morte e a exumação que houveram dele.
Mas 'stá perdido o selo com que sele
Seu pacto com o vivo que caiu.

Por isso, em sombra e natural desgraça,
Tem que buscar aquilo que perdeu –
Não ela, mas a morte que a repassa,
E vem achar no Verbo a fé e a graça –
A nova vida do que já morreu.

Porque o Verbo é quem Deus era primeiro,
Antes que a morte, que o tornou o mundo.
Corrompesse de mal o mundo inteiro:
E assim no Verbo, que é o Deus terceiro,
A alma volve ao Bem que é o seu fundo.

(26/4/1934)

*

Tudo que sinto, tudo quanto penso,
Sem que eu o queira se me converteu
Numa vasta planície, um vago extenso
Onde há só nada sob o nulo céu.

Não existo senão para saber
Que não existo, e, como a recordar,
Vejo boiar a inércia do meu ser
No meu ser sem inércia, inútil mar.

Sargaço fluido de uma hora incerta,
Quem me dará que o tenha por visão?
Nada, nem o que tolda a descoberta
Com o saber que existe o coração.

(9/5/1934)

*

Quem me amarrou a ser eu
Fez-me uma grande partida.
Debaixo deste amplo céu,
Não tenho vinda nem ida.
Sou apenas um ser meu.

Nem isso... Anda tudo à volta
A retirar-me de mim,
Parece uma fera à solta
Este mundo que anda assim
A servir-me de má escolta.

Quando encontrar a verdade
Hei de ver se hei de fugir,
Pelo menos em metade.
Depois ficarei a rir
Da minha tranquilidade.

(16/6/1934)

*

Já me não pesa tanto o vir da morte.
Sei já que é nada, que é ficção e sonho,
E que, na roda universal da Sorte,
Não sou aquilo que me aqui suponho.

Sei que há mais mundos que este pouco mundo
Onde parece a nós haver morrer –

Dura terra e fragosa, que há no fundo
Do oceano imenso de viver.

Sei que a morte, que é tudo, não é nada,
E que, de morte em morte, a alma que há
Não cai num poço: vai por uma estrada.
Em Sua hora e a nossa, Deus dirá.

(6/7/1934)

*

As coisas que errei na vida
São as que acharei na morte,
Porque a vida é dividida
Entre quem sou e a sorte.

As coisas que a Sorte deu
Levou-as ela consigo,
Mas as coisas que sou eu
Guardei-as todas comigo.

E por isso os erros meus,
Sendo a má sorte que tive,
Terei que os buscar nos céus
Quando a morte tire os véus
À inconsciência em que estive.

(21/8/1934)

*

Quero dormir. Não sei se quero a morte,
Nem sei o que ela é.
O que quero é não ser submisso à sorte,
Seja ela lei ou fé.

Quero poder nos campos prolongados
Meu ser abandonar
Aos seus verdes silêncios afastados,
Que amo só de os olhar.

Quero poder imaginar a vida
Como ela nunca foi,
E assim vivê-la, vivida e perdida.
Num sonho que nem dói.

Quero poder mudar o universo
De um para outro lado,
Como quem junta o seu viver disperso
E o ata com o fado.

Quero, por fim, ser coroado rei
Do nada a que enfim vou.
Será minha coroa o que serei,
E o cetro o que sou.

(26/8/1934)

*

Se alguém bater um dia à tua porta.
Dizendo que é um emissário meu.
Não acredites, nem que seja eu;
Que o meu vaidoso orgulho não comporta
Bater sequer à porta irreal do céu.

Mas se, naturalmente, e sem ouvir
Alguém bater, fores a porta abrir
E encontrares alguém como que à espera
De ousar bater, medita um pouco. Esse era
Meu emissário e eu e o que comporta
O meu orgulho do que desespera.
Abre a quem não bater à tua porta!

(5/9/1934)

*

Sim, vem um canto na noite.
Não lhe conheço a intenção.
Não sei que palavras são.

É um canto desligado
De tudo que o canto tem.
É algum canto de alguém.

Vem na noite independente
Do que diz bem ou mal.
Vem absurdo e natural.
Já não me lembro que penso.
Ouço; é um canto a pairar
Como o vento sobre o mar.

(5/9/1934)

*

Tudo que amei, se é que o amei, ignoro,
E é como a infância de outro. Já não sei
Se o choro, se suponho só que o choro,
Se o choro por supor que o chorarei.

Das lágrimas sei eu... Essas são quentes
Nos olhos cheios de um olhar perdido...
Mas nisso tudo são-me indiferentes
As causas vagas deste mal sentido.

E choro, choro, na sinceridade
De quem chora sentindo-se chorar.
Mas se choro a mentir ou a verdade,
Continuarei, chorando, a ignorar.

(5/9/1934)

*

Tudo, menos o tédio, me faz tédio.
Quero, sem ter sossego, sossegar.
Tomar a vida todos os dias
Como um remédio,
Desses remédios que há para tomar.

Tanto aspirei, tanto sonhei, que tanto
De tantos tantos me fez nada em mim.
Minhas mãos ficaram frias
Só de aguardar o encanto
Daquele amor que as aquecesse enfim

Frias, vazias,
Assim.

(6/9/1934)

*

A nuvem veio e o sol parou.
Foi vento ou ocasião que a trouxe?
Não sei: a luz se nos velou
Como se luz a sombra fosse.

Às vezes, quando a vida passa
Por sobre a alma que é ninguém,
A sensação torna-se baça
E pensar é não sentir bem.

Sim, é como isto: pelo céu
Vai uma nuvem destroçada
Que é véu, mau véu, ou quase véu,
E, como tudo, não é nada.

(10/9/1934)

*

Divido o que conheço.
De um lado é o que sou
Do outro quanto esqueço.
Por entre os dois eu vou.

Não sou nem quem me lembro
Nem sou quem há em mim.
Se penso me desmembro.
Se creio, não há fim.

Que melhor que isto tudo
É ouvir, na ramagem
Aquele ar certo e mudo
Que estremece a folhagem.

(10/9/1934)

*

Deslembro incertamente. Meu passado
Não sei quem o viveu. Se eu mesmo fui,
Está confusamente deslembrado
E logo em mim enclausurado flui.
Não sei quem fui nem sou. Ignoro tudo.
Só há de meu o que me vê agora –
O campo verde, natural e mudo
Que um vento que não vejo vago aflora.
Sou tão parado em mim que nem o sinto.
Vejo, e onde [o] vale se ergue para a encosta
Vai meu olhar seguindo o meu instinto
Como quem olha a mesa que está posta.

(13/9/1934)

*

Se há arte ou ciência para ler a sina
A que em nós o Destino faz, de nós,
Dá-me que eu a não saiba e que, indivina,
Me corra a vida vagamente e a sós.

Que quero eu do futuro que não tenho?
Que me pesa hoje, ou alegra, o que serei?
Sei, por lembrar, de que passado venho,
E, onde hoje estou, incertamente sei.

O mais, o que o futuro me dará,
Deixo a quem dê e à forma como o der.
Basta a sombra que esta árvore me dá
E a sensação de nada mais querer.

(13/9/1934)

*

Bem sei que estou endoidecendo.
Bem sei que falha em mim quem sou.
Sim, mas, enquanto me não rendo,
Quero saber por onde vou.

Inda que vá para render-me
Ao que o Destino me faz ser.
Quero, um momento, aqui deter-me
E descansar a conhecer.

Há grandes lapsos de memória
Grandes paralelas perdidas,
E muita lenda e muita história
E muitas vidas, muitas vidas.

Tudo isso; agora me perco
De mim e vou a transviar,

Quero chamar a mim, e cerco
Meu ser de tudo relembrar.

Porque, se vou ser louco, quero
Ser louco com moral e siso.
Vou tanger lira como Nero.
Mas o incêndio não é preciso.

(15/9/1934)

*

Bem sei que há ilhas lá ao sul de tudo
Onde há paisagens que não pode haver.
Tão belas que são como que o veludo
Do tecido que o mundo pode ser.

Bem sei. Vegetações olhando o mar,
Coral, encostas, tudo o que é a vida
Tornado amor e luz, o que o sonhar
Dá à imaginação anoitecida.

Bem sei. Vejo isso tudo. O mesmo vento
Que ali agita os ramos em torpor
Passa de leve por meu pensamento
E o pensamento julga que é amor.

Sei, sim, é belo, é luz, é impossível,
Existe, dorme, tem a cor e o fim,
E, ainda que não haja, é tão visível
Que é uma parte natural de mim.

Sei tudo, sim, sei tudo. E sei também
Que não é lá que há isso que lá está
Sei qual é a luz que essa paisagem tem
E qual o mar por que se vai para lá.

(20/9/1934)

*

Bem sei que todas as mágoas
São como as mágoas que são
Parecidas com as águas
Que continuamente vão...

Quero, pois, ter guardada
Uma tristeza de mim
Que não possa ser levada
Por essas águas sem fim.

Quero uma tristeza minha
Uma mágoa que me seja
Uma espécie de rainha
Cujo trono se não veja.

(9/10/1934)

*

Não quero rosas, desde que haja rosas.
Quero-as só quando não as possa haver.
Que hei de fazer das coisas
Que qualquer mão pode colher?

Não quero a noite senão quando a aurora
A fez em ouro e azul se diluir.
O que a minha alma ignora
É isso que quero possuir.

Para quê?... Se o soubesse, não faria
Versos para dizer que inda o não sei.
Tenho a alma pobre e fria...
Ah, com que esmola a aquecerei?...

(7/1/1935)

*

Sim, está tudo certo.
Está tudo perfeitamente certo.
O pior é que está tudo errado.
Bem sei que esta casa é pintada de cinzento
Bem sei qual é o nome desta casa –
Não sei, mas poderei saber, como está avaliada,
Nessas oficinas de impostos que existem, que [?]
Bem sei, bem sei.
Mas o pior é que há almas aí dentro
E a Tesouraria das Finanças não conseguiu livrar
A vizinha do lado de lhe morrer o filho.
A Repartição de não sei quê não pôde evitar
Que o marido da vizinha do andar mais acima lhe
                        [fugisse com a cunhada...
Mas, está claro, está tudo certo...
E, exceto estar errado, é assim mesmo, está certo...
                                    (5/3/1935)

*

ELEGIA NA SOMBRA

Lenta, a raça esmorece, e a alegria
É como uma memória de outrem. Passa
Um vento frio na nossa nostalgia
E a nostalgia touca a desgraça.

Pesa em nós o passado e o futuro.
Dorme em nós o presente. E a sonhar
A alma encontra sempre o mesmo muro,
E encontra o mesmo muro ao despertar.

Quem nos roubou a alma? Que bruxedo
De que magia incógnita e suprema
Nos enche as almas de dolência e medo
Nesta hora inútil, apagada e extrema?

Os heróis resplendecem a distância
Num passado impossível de se ver
Com os olhos da fé ou os da ânsia;
Lembramos névoas, sonhos a esquecer.

Que crime outrora feito, que pecado
Nos impôs esta estéril provação
Que é indistintamente nosso fado
Como o sentimos bem no coração?

Que vitória maligna conseguimos –
Em que guerras, com que armas, com que armada? –
Que assim o seu castigo irreal sentimos
Colado aos ossos desta carne errada?

Terra tão linda com heróis tão grandes,
Bom Sol universal localizado
Pelo melhor calor que aqui expandes,
Calor suave e azul só a nós dado.

Tanta beleza dada e glória ida!
Tanta esperança que, depois da glória,
Só conhecem que é fácil a descida
Das encostas anônimas da história!

Tanto, tanto! Que é feito de quem foi?
Ninguém volta? No mundo subterrâneo
Onde a sombria luz por nula dói,
Pesando sobre onde já esteve o crânio,

Não restitui Plutão [a ver?] o céu
Um herói ou o ânimo que o faz,

Como Eurídice dada à dor de Orfeu;
Ou restituiu e olhamos para trás?

Nada. Nem fé nem lei, nem mar nem porto.
Só a prolixa estagnação das mágoas,
Como nas tardes baças, no mar morto,
A dolorosa solidão das águas.

Povo sem nexo, raça sem suporte,
Que, agitada, indecisa, nem repare
Em que é raça e que aguarda a própria morte
Como a um comboio expresso que aqui pare.

Torvelinho de doidos, descrença
Da própria consciência de se a ter,
Nada há em nós que, firme e crente, vença
Nossa impossibilidade de querer.

Plagiários da sombra e do abandono,
Registramos, quietos e vazios,
Os sonhos que há antes que venha o sono
E o sono inútil que nos deixa frios.

Oh, que há de ser de nós? Raça que foi
Como que um novo sol ocidental
Que houve por tipo o aventureiro e o herói
E outrora teve nome Portugal...

(Fala mais baixo! Deixa a tarde ser
Ao menos uma extrema quietação
Que por ser fim faça menos doer
Nosso descompassado coração.

Fala mais baixo! Somos sem remédio,
Salvo se do ermo abismo onde Deus dorme

Nos venha despertar do nosso tédio
Qualquer obscuro sentimento informe.

Silêncio quase? Nada dizes! Calas
A esperança vazia em que te acho,
Pátria. Que doença de teu ser se exala?
Tu nem sabes dormir. Fala mais baixo!)

Ó incerta manhã de nevoeiro
Em que o rei morto vivo tornará
Ao povo ignóbil e o fará inteiro –
És qualquer coisa que Deus quer ou dá?

Quando é a tua Hora e o teu Exemplo?
Quando é que vens, do fundo do que é dado,
Cumprir teu rito, reabrir teu Templo
Vendando os olhos lúcidos do Fado?

Quando é que soa, no deserto de alma
Que Portugal é hoje, sem sentir,
Tua voz, como um baloiço de palma
Ao pé do oásis de que possa vir?

Quando é que esta tristeza desconforme
Verá, desfeita a tua cerração,
Surgir um vulto, no nevoeiro informe,
Que nos faça sentir o coração?

Quando? Estagnamos. A melancolia
Das horas sucessivas [?] que a alma tem
Enche de tédio a noite e chega o dia
E o tédio aumenta porque o dia vem.

Pátria, quem te feriu e envenenou?
Quem, com suave e maligno fingimento

Teu coração suposto sossegou
Com abundante e inútil alimento?

Quem faz que durmas mais do que dormias?
Que faz que jazas mais que até aqui?
Aperto as tuas mãos: como estão frias!
Mão do meu ser que tu amas, que é de ti?

Vives, sim, vives porque não morreste...
Mas a vida que vives é um sono
Em que indistintamente o teu ser veste
Todos os sambenitos[50] do abandono.

Dorme, ao menos de vez. O Desejado
Talvez não seja mais que um sonho louco
De quem, por muito ter, Pátria, amado,
Acha que todo o amor por ti é pouco.

Dorme, que eu durmo, só de te saber
Presa da inquietação que não tem nome
E nem revolta ou ânsia sabes ter
Nem da esperança sentes sede ou fome.

Dorme, e a teus pés teus filhos, nós que o somos,
Colheremos, inúteis e cansados
O agasalho do amor que ainda pomos
Em ter teus pés gloriosos por amados.

Dorme, mãe Pátria, nula e postergada,
E, se um sonho de esperança te surgir,
Não creias nele, porque tudo é nada,
E nunca vem aquilo que há de vir.

Dorme, que a tarde é finda e a noite vem.
Dorme que as pálpebras do mundo incerto

---

50. Referência ao São Benito.

Baixam solenes, com a dor que têm,
Sobre o mortiço olhar inda desperto.

Dorme, que tudo cessa, e tu com tudo,
Quererias viver eternamente,
Ficção eterna ante este espaço mudo
Que é um vácuo azul? Dorme, que nada sente

Nem paira mais no ar, que fora almo[51]
Se não fora a nossa alma erma e vazia,
Que o nosso fado, vento frio e calmo
E a tarde de nós mesmos, baça e fria

Como longínquo sopro altivo e humano
Essa tarde monótona e serena
Em que, ao morrer o imperador romano
Disse: Fui tudo, nada vale a pena.

(2/6/1935)

*

O meu sentimento é cinza
Da minha imaginação,
E eu deixo cair a cinza
No cinzeiro da Razão.

(12/6/1935)

*

Já estou tranquilo. Já não espero nada.
Já sobre meu vazio coração
Desceu a inconsciência abençoada
De nem querer uma ilusão.

(20/7/1935)

---

51. Benéfico.

*

Desce a névoa da montanha,
Desce ou nasce ou não sei quê...
Minha alma é a tudo estranha,
Quando vê, vê que não vê.
Mais vale a névoa que a vida...
Desce, ou sobe: enfim, existe.
E eu não sei em que consiste
Ter a emoção por vivida,
E, sem querer, estou triste.

(2/9/1935)

*

Já não me importo
Até com o que amo ou creio amar.
Sou um navio que chegou a um porto
E cujo movimento é ali estar.

Nada me resta
Do que quis ou achei.
Cheguei da festa
Como fui para lá ou ainda irei

Indiferente
A quem sou ou suponho que mal sou,

Fito a gente
Que me rodeia e sempre rodeou.

Com um olhar
Que, sem o poder ver,
Sei [?] que é sem ar
De olhar a valer.

E só me não cansa
O que a brisa me traz
De súbita mudança
No que nada me faz.

(2/9/1935)

*

O véu das lágrimas não cega.
Vejo, a chorar,
O que essa música me entrega –
A mãe que eu tinha, o antigo lar,
A criança que fui,
O horror do tempo, porque flui,
O horror da vida, porque é só matar!
Vejo e adormeço,
Num torpor em que me esqueço
Que existo inda neste mundo que há...
Estou vendo minha mãe tocar.
E essas mãos brancas e pequenas.
Cuja carícia nunca mais me afagará –,
Tocam ao piano, cuidadosas e serenas,
(Meu Deus!)
Un soir à Lima.

Ah, vejo tudo claro!
Estou outra vez ali.
Afasto do luar externo [?] e raro
Os olhos com que o vi.

Mas quê? Divago e a música acabou...
Divago como sempre divaguei
Sem ter na alma certeza de quem sou,
Nem verdadeira fé ou firme lei

Divago, crio eternidades minhas
Num ópio de memória e de abandono.
Entronizo fantásticas rainhas
Sem para elas ter o trono.

Sonho porque me banho
No rio irreal da música evocada.
Minha alma é uma criança esfarrapada
Que dorme num recanto obscuro.
De meu só tenho,
Na realidade certa e acordada,
Os trapos da minha alma abandonada,
E a cabeça que sonha contra o muro.

Mas, mãe, não haverá
Um Deus que me não torne tudo vão,
(ou) Um outro mundo em que isso agora está?
Divago ainda: tudo é ilusão.
Un soir à Lima

Quebra-te, coração...
                                    (17/9/1935)

*

Ouvi os sábios todos discutir,
Podia a todos refutar a rir.
Mas preferi, bebendo na ampla sombra,
Indefinidamente só ouvir.

Manda quem manda porque manda, nem
Importa que mal mande ou mande bem.
Todos são grandes quando a hora é sua.
Por baixo cada um é o mesmo alguém.

Não invejo a pompa, e ao poder,
Visto que pode, sem razão nem ser.
Obedece, que a vida dura pouco
Nem há por isso muito que sofrer.

(3/10/1935)

*

Ah, como o sono é a verdade, e a única
Hora suave é a de adormecer!
Amor ideal, tens chagas sob a túnica.
'Sperança, és a ilusão a apodrecer.

Os deuses vão-se como forasteiros.
Como uma feira acaba a tradição.
Somos todos palhaços estrangeiros.
A nossa vida é palco e confusão.

Ah, dormir tudo! Pôr um sono à roda
Do esforço inútil e da sorte incerta!
Que a morte virtual da vida toda
Seja, sons, a janela que, entreaberta,

Só um crepúsculo do mundo deixe
Chegar á sonolência que se sente;
E a alma se desfaça como um peixe
Atado pelos dedos de um demente...

*

Aquilo que a gente lembra
Sem o querer lembrar,
E inerte se desmembra
Cimo um fumo no ar,
É a música que a alma tem.
E o perfume que vem,

Vago, inútil, trazido
Por uma brisa de agrado,
Do fundo do que é esquecido,
Dos jardins do passado

Aquilo que a gente sonha
Sem saber de sonhar,
Aquela boca risonha
Que nunca nos quis beijar.
Aquela vaga ironia

Que uns olhos tiveram um dia
Para a nossa emoção –
Tudo isso nos dá o agrado.
Flores que flores são
Nos jardins do passado

Não sei o que fiz da vida,
Nem o quero saber.
Se a tenho por perdida,
Sei eu o que é perder?
Mas tudo é música se há
Alma onde a alma está,
E há um vago, suave, sono,
Um sonho morno de agrado
Quando regresso, dono,
Aos jardins do passado.

*

Sou o Espírito da treva,
A Noite me traz e leva;

Moro à beira irreal da Vida,
Sua onda indefinida

Refresca-me a alma de espuma...
Pra além do mar há a bruma..

E pra aquém? há Coisa ou Fim?
Nunca olhei para trás de mim...

*

Um cansaço feliz, uma tristeza informe
O meu espírito intranquilamente dorme.
Combati, fui o gládio e o braço e a intenção
E dói-me a alma na alma e no gládio e na mão...
Meu gládio está caído aos meus pés... um torpor
Impregna de cansaço a minha própria dor...

*

Não combati: ninguém mo mereceu.
A natureza e depois a arte, amei.
As mãos à chama que me a vida deu
Aqueci. Ela cessa. Cessarei.

*

Dormi, sonhei. No informe labirinto
Que há entre o mundo e o nada me perdi.
Em bosques de mim mesmo me embebi,
Misto indeciso do que vejo e sinto.

'Stagno incorpóreo. No infiel recinto
Leio o transtorno do que nunca li,
E o labirinto nunca 'stá em si,
Nem há mundo no incerto e abstrato plinto.[52]

---

52. Pedestal.

Minha alma é um ser que a verdade engana,
Memória da partida dos navios
Na praia que de espuma se engalana.

Não voltaram dos longes os sombrios
Barcos, e o luar mole deixa ver
A praia com a espuma a escurecer.

*

Meu pensamento, dito, já não é
Meu pensamento.
Flor morta, boia no meu sonho, até
Que a leve o vento,

Que a desvie a corrente, a externa sorte.
Se falo, sinto
Que a palavras esculpo a minha morte,
Que com toda a alma minto.

Assim, quanto mais digo, mais me engano,
Mais faço eu
Um novo ser postiço, que engalano
De ser o meu.

Já só pensando escuto-me e resido.
Já falo assim.
Meu próprio diálogo interior divide
Meu ser de mim.

Mas é quando dou forma e voz do 'spaço
Ao que medito
Que abro entre mim e mim, quebrado um laço,
Um abismo infinito.

Ah, quem dera a perfeita concordância
De mim comigo,
O silêncio interior sem a distância
Entre mim e o que eu digo!

*

Dai-me rosas e lírios,

Dai-me flores, muitas flores
Quaisquer flores, logo que sejam muitas...
Não, nem sequer muitas flores, falai-me apenas

Em me dardes muitas flores,
Nem isso... Escutai-me apenas pacientemente quando vos peço

Que me deis flores...
Sejam essas as flores que me deis...

Ah, a minha tristeza dos barcos que passam no rio,
Sob o céu cheio de sol!
A minha agonia da realidade lúcida!
Desejo de chorar absolutamente como uma criança

Com a cabeça encostada aos braços cruzados em cima da mesa,
E a vida sentida como uma brisa que me roçasse o pescoço,
Estando eu a chorar naquela posição.

O homem que apara o lápis à janela do escritório
Chama pela minha atenção com as mãos do seu gesto banal.
Haver lápis e aparar lápis e gente que os apara à janela, é tão estranho!

É tão fantástico que estas cousas sejam reais!
Olho para ele até esquecer o sol e o céu.
E a realidade do mundo faz-me dor de cabeça.

A flor caída no chão.
A flor murcha (rosa branca amarelecendo)
Caída no chão...
Qual é o sentido da vida?

[*Álvaro de Campos?*]

*

Lembro-me bem do seu olhar.
Ele atravessa ainda a minha alma,
Como um risco de fogo na noite.
Lembro-me bem do seu olhar. O resto...
Sim o resto parece-se apenas com a vida.

Ontem, passei nas ruas como qualquer pessoa.
Olhei para as montras despreocupadamente
E não encontrei amigos com quem falar.
De repente vi que estava triste, mortalmente triste,
Tão triste que me pareceu que me seria impossível
Viver amanhã, não porque morresse ou me matasse,
Mas porque seria impossível viver amanhã e mais
[nada.

Fumo, sonho, recostado na poltrona.
Dói-me viver como uma posição incômoda.
Deve haver ilhas lá para o sul das cousas
Onde sofrer seja uma cousa mais suave,
Onde viver custe menos ao pensamento,
E onde a gente possa fechar os olhos e adormecer
[ao sol
E acordar sem ter que pensar em responsabilidades
[sociais

Nem no dia do mês ou da semana que é hoje.

Abrigo no peito, como a um inimigo que temo
[ofender,
Um coração exageradamente espontâneo
Que sente tudo o que eu sonho como se fosse real,
Que bate com o pé a melodia das canções que o meu
[pensamento canta
Canções tristes, como as ruas estreitas quando chove.

[*Álvaro de Campos?*]

*

SONO

Tenho tal sono que pensar é um mal.
Tenho sono. Dormir é ser igual,
No homem, ao despertar do animal.

É viver fundo nesse inconsciente
Com que à tona da vida o animal sente.
É ser meu ser profundo alheiamente.

Tenho sono talvez porque toquei
Onde sinto o animal que abandonei
E o sono é uma lembrança que encontrei.

Poemas dramáticos

Apresentação

Jane Tutikian

Sobre os poemas dramáticos

O poema dramático de Fernando Pessoa mais conhecido do público é "O Marinheiro". Trata-se do que chamamos de fantasia hipersimbolista, ou seja, é um poema absolutamente carregado de símbolos, de uma concepção metafísica do universo, de que os temas do sonho e da morte são grandes eixos. Neste poema, Pessoa cria um ambiente de sonhos e de sugestões próprias de uma realidade outra, oculta à razão.

O poeta o chamou de "drama estático" e explica:

> Chamo teatro estático àquele cujo enredo dramático não constitui ação – isto é, onde as figuras não só não agem, porque nem se deslocam nem dialogam sobre deslocarem-se, mas nem sequer têm sentidos capazes de produzir uma ação; onde não há conflito nem perfeito enredo. Dir-se-á que isto não é teatro. Creio que o é porque creio que o teatro tende a teatro meramente lírico e que o enredo do teatro é, não a ação nem a progressão e consequência da ação – mas, mais abrangentemente, a revelação das almas através das palavras trocadas e a criação de situações (...) Pode haver revelação de almas sem ação, e pode haver criação de situações de inércia, momentos de alma sem janelas ou portas para a realidade (...) (1914?)[1]

---

1. PESSOA, Fernando. *Páginas de estética e de teoria críticas literárias.* (Textos organizados e prefaciados por Georg Rudolf Lind e Jacinto do Prado Coelho.) Lisboa: Ática, 1966, p. 113.

De fato, a ação puramente verbal nasce e se agranda no dialogo de três personagens femininas, três donzelas, velando um morto no quarto redondo de um antigo castelo. Sentadas de frente para a janela, imóveis durante todo o tempo do espetáculo, as veladoras evocam um passado que não tiveram: menos triste em um pais menos triste. Assim, o texto se constrói a partir de sugestões, contendo elementos esotéricos, ligados a uma interpretação ocultista do universo, revelando-se em vários símbolos, como os números: três veladoras, que formam quatro personagens, contando com uma morta, total que traz implícito um quinto personagem.

Os diálogos apresentam um núcleo narrativo fragmentário, que consiste num sonho, contado pela Segunda Veladora, sobre um marinheiro que, por sua vez, também sonhava com uma pátria ideal.

Com o avançar da narração do sonho, as outras veladoras e a própria narradora vão desesperando-se com todas as palavras ditas, como se estas as distanciassem cada vez mais da "realidade", se é que se pode chamar de "realidade" o ambiente de sonho e de mistério representado na peça. Nesse sentido, a peça poderia ser compreendida como uma representação das vozes interiores do eu-lírico, vozes em conflito e tensão, mas todas vozes do inconsciente.

Esta obra foi a "gota d'água" no conflito entre Fernando Pessoa e Teixeira de Pascoais, porque este não quis publicá-la na *Revista Águia*.

De modo geral, a crítica deu pouca importância ao drama estático de Pessoa, o único que o poeta concluiu, até que percebeu que o poema e as veladoras, que antecedem em meses o "dia triunfal", o da criação dos heterônimos, prefiguram ou anunciam o processo heteronímico.

Já "O Primeiro Fausto", de Fernando Pessoa, foi escrito ao longo de sua vida. O poeta elaborou vários projetos em torno dele, mas deixou-o inconcluso, o próprio título assim o demonstra: é "O Primeiro Fausto ou Fausto tragédia subjetiva".

Trata-se de um Fausto diferente daquele de Goethe. Sem enredo, compõe-se de monólogos. Aqui, não há a disputa entre Deus e Lúcifer a respeito do homem. O projeto pessoano envolve questões cruciais como o mistério de haver mundo e nele o homem, a busca e o limite do conhecimento do prazer e do amor e o temor da morte.

Como o Fausto de Goethe, o de Pessoa aparece, logo no início do poema, em seu laboratório, refletindo sobre "o mistério do mundo" e encontrando-se com os limites do saber e das ciências. Há nesta reflexão uma profunda nostalgia que se espraia ao longo de todos os fragmentos do poema. Aqui, há uma primeira distinção do caráter positivo do Fausto de Goethe. O Fausto pessoano não reconhece nem céu nem inferno, busca uma razão para a sua existência no mundo e não acha respostas.

O segundo grande tema é o horror de conhecer, um desdobramento do primeiro, que leva à mesma impossibilidade.

O terceiro tema é a tolerância ao prazer e ao amor, mas, verdade seja dita, em nenhum momento Fausto mostra qualquer interesse pelo amor em seu sentido mais comum, embora também não apresente uma negação pura e simples desse sentimento.

O quarto grande tema é temor da morte, formalmente o mais breve na organização deste texto. Fausto distingue o que para ele é horror e o medo: não se trata somente de medo enquanto reação diante do desconhecido, trata-se, isso sim, do horror, da náusea produzida pelo reconhecimento da sua limitação. Trata-se do horror produzido pelo reconhecimento de sua imensa ignorância aliada à suposição da eternidade, quando a morte seria a possibilidade de saber e de conhecer o mistério.

Enfim, o leitor é colocado aqui, no poema dramático pessoano, diante de uma experiência subjetiva envolvente, de uma experiência limite, para além do que só resta o nada. Neste sentido, o Fausto pessoano é o Fausto da impotência e do ceticismo radicais.

*

Convém salientar aqui que a edição príncipe que tomamos por base foi a edição da Ática portuguesa. Procuramos, entretanto, atualizar a linguagem sem que isso implicasse qualquer prejuízo à obra do poeta. Mantivemos, entretanto, os sinais utilizados naquela edição: [?] para leitura duvidosa ou acréscimos da responsabilidade dos organizadores e [?*] para palavras ou partes de palavras suprimidas.

Resta observar que algumas editoras colocam "Na floresta do alheamento" como poema dramático. Optamos, por força de convicção, em não fazer o mesmo nesta edição. O poema fica resguardado, como quis o poeta, para *O Livro do desassossego*.

O resto é reflexão, beleza e prazer.

POEMAS DRAMÁTICOS

O MARINHEIRO[2]

A CARLOS FRANCO

Um quarto que é sem dúvida num castelo antigo. Do quarto vê-se que é circular. Ao centro ergue-se, sobre uma essa, um caixão com uma donzela, de branco. Quatro tochas aos cantos. À direita, quase em frente a quem imagina o quarto, há uma única janela, alta, e estreita, dando para onde só se vê, entre dois montes longínquos, um pequeno espaço de mar.

Do lado da janela velam três donzelas. A primeira está sentada em frente à janela, de costas contra a tocha de cima da direita. As outras duas estão sentadas uma de cada lado da janela.

É noite e há como que um resto vago de luar.

PRIMEIRA VELADORA – Ainda não deu hora nenhuma.
SEGUNDA – Não se podia ouvir. Não há relógio aqui perto.
 Dentro em pouco deve ser dia.
TERCEIRA – Não: o horizonte é negro.

---

2. Trata-se de um drama estático e de uma fantasia hipersimbolista. "O Marinheiro", drama em um quadro, foi escrito meses antes do "dia triunfal", 8 de março de 1914, o dia em que surgiu Caeiro e seus discípulos. Foi escrito em 11 e 12 de outubro de 1913, mas só foi publicado na revista *Orpheu* 1, jan.-fev.-mar. de 1915. Muitos estudiosos dizem que constitui uma prefiguração do fenômeno heteronímico.

Primeira – Não desejais, minha irmã, que nos entretenhamos contando o que fomos? É belo e é sempre falso...

Segunda – Não, não falemos disso. De resto, fomos nós alguma cousa?

Primeira – Talvez. Eu não sei. Mas, ainda assim, sempre é belo falar do passado... As horas têm caído e nós temos guardado silêncio. Por mim, tenho estado a olhar para a chama daquela vela. Às vezes treme, outras torna-se mais amarela, outras vezes empalidece. Eu não sei por que é que isso se dá. Mas sabemos nós, minhas irmãs, por que se dá qualquer cousa?...

(uma pausa)

A mesma – Falar no passado – isso deve ser belo, porque é inútil e faz tanta pena...

Segunda – Falemos, se quiserdes, de um passado que não tivéssemos tido.

Terceira – Não. Talvez o tivéssemos tido...

Primeira – Não dizeis senão palavras. É tão triste falar! É um modo tão falso de nos esquecermos!... Se passeássemos?...

Terceira – Onde?

Primeira – Aqui, de um lado para o outro. Às vezes isso vai buscar sonhos.

Terceira – De quê?

Primeira – Não sei. Por que o havia eu de saber?

(uma pausa)

Segunda – Todo este país é muito triste... Aquele onde eu vivi outrora era menos triste. Ao entardecer eu fiava, sentada à minha janela. A janela dava para o mar e às vezes havia uma ilha ao longe... Muitas vezes eu não fiava; olhava para o mar e esquecia-me de viver. Não sei se era feliz. Já não tornarei a ser aquilo que talvez eu nunca fosse...

Primeira – Fora de aqui, nunca vi o mar. Ali, daquela janela, que é a única de onde o mar se vê, vê-se tão pouco!... O mar de outras terras é belo.³

Segunda – Só o mar das outras terras é que é belo. Aquele que nós vemos dá-nos sempre saudades daquele que não veremos nunca...

(uma pausa)

Primeira – Não dizíamos nós que íamos contar o nosso passado?

Segunda – Não, não dizíamos.

Terceira – Por que não haverá relógio neste quarto?

Segunda – Não sei... Mas assim, sem o relógio, tudo é mais afastado⁴ e misterioso. A noite pertence mais a si própria... Quem sabe se nós poderíamos falar assim se soubéssemos a hora que é?

Primeira – Minha irmã, em mim tudo é triste. Passo dezembros na alma... Estou procurando não olhar para a janela... Sei que de lá se veem, ao longe, montes... Eu fui feliz para além de montes, outrora... Eu era pe-

---

3. Entre os documentos datilografados por Fernando Pessoa e deixados na famosa arca, há apontamentos com as seguintes alterações ou variações: "A. É do lado de lá dos montes que a vida é sempre bela... B. O que é a vida, minha irmã? A. Não sei. Sei da vida só o que tenho ouvido dizer. B. Toda a gente sabe da vida só o que tem ouvido dizer. E é por isso que é só além dos montes que a vida é sempre bela...".

4. Entre aqueles documentos, foi encontrado um fragmento com a indicação: "O Marinheiro – drama estático, n'um quadro", datado de 20-11-24: "Aussi loin que possible de la vie/ Je vis ma vie/ Et je m'emerveille aux [changements]/ De mes instants./ Quel est l'enfant que tu apportes/ Par la main; et qui pleure/ Comme si tout le monde [n'allait] pas/ Vers sa demeure?/ Oh, l'automne s'en ira peut-être/ Et ce sera l'aube [...]/ Tu est triste et mon coeur est las/ Et cela signifie/ Tout ce que cela ne signifie pas.../ Ni même la vie."

quenina. Colhia flores todo o dia e antes de adormecer pedia que não mas tirassem... Não sei o que isto tem de irreparável que me dá vontade de chorar... Foi longe daqui que isto pode ser... Quando virá o dia?...

Terceira – Que importa? Ele vem sempre da mesma maneira... sempre, sempre, sempre...

(uma pausa)

Segunda – Contemos contos umas às outras... Eu não sei contos nenhuns, mas isso não faz mal... Só viver é que faz mal... Não rocemos pela vida nem a orla das nossas vestes... Não, não vos levanteis. Isso seria um gesto, e cada gesto interrompe um sonho... Neste momento eu não tinha sonho nenhum, mas é-me suave pensar que o podia estar tendo... Mas o passado – por que não falamos nós dele?

Primeira – Decidimos não o fazer... Breve raiará o dia e arrepender-nos-emos... Com a luz os sonhos adormecem... O passado não é senão um sonho... De resto, nem sei o que não é sonho... Se olho para o presente com muita atenção, parece-me que ele já passou... O que é qualquer cousa? Como é que ela passa? Como é por dentro o modo como ela passa?... Ah, falemos, minhas irmãs, falemos alto, falemos todas juntas... O silêncio começa a tomar corpo, começa a ser cousa... Sinto-o envolver-me como uma névoa... Ah. falai, falai!...

Segunda – Para quê?... Fito-vos a ambas e não vos vejo logo... Parece-me que entre nós se aumentaram abismos... Tenho que cansar a ideia de que vos posso ver para poder chegar a ver-vos... Este ar quente é frio por dentro, naquela parte que toca na alma... Eu devia agora sentir mãos impossíveis passarem-me pelos cabelos – é o gesto com que falam das sereias... (*Cruza as mãos sobre os joelhos. Pausa.*) Ainda há pouco, quando eu não pensava em nada, estava pensando no meu passado.

Primeira – Eu também devia ter estado a pensar no meu...
Terceira – Eu já não sabia em que pensava... No passado dos outros talvez..., no passado de gente maravilhosa que nunca existiu...[5] Ao pé da casa de minha mãe corria um riacho... Por que é que correria, e por que é que não correria mais longe, ou mais perto?... Há alguma razão para qualquer coisa ser o que é? Há para isso qualquer razão verdadeira e real como as minhas mãos?
Segunda – As mãos não são verdadeiras nem reais... São mistérios que habitam na nossa vida... às vezes, quando fito as minhas mãos, tenho medo de Deus... Não há vento que mova as chamas das velas, e olhai, elas movem-se... Para onde se inclinam elas?... Que pena se alguém pudesse responder!... Sinto-me desejosa de ouvir músicas bárbaras que devem agora estar tocando em palácios de outros continentes... É sempre longe da minha alma... Talvez porque, quando criança, corri atrás das ondas à beira-mar. Levei a vida pela mão entre rochedos, maré-baixa, quando o mar parece ter cruzado as mãos sobre o peito e ter adormecido como

---

5. Essa parte da fala da veladora vai ao encontro da carta escrita por Pessoa a Adolfo Casais Monteiro, em 1935. Lá, o poeta dizia: "Desde criança tive a tendência. Desde criança tive a tendência para criar em meu torno um mundo fictício, de me cercar de amigos e conhecidos que nunca existiram. (Não sei, bem entendido, se realmente não existiram, ou se sou eu que não existo. Nestas cousas, como em todas, não devemos ser dogmáticos.) Desde que me conheço como sendo aquilo a que chamo eu, me lembro de precisar mentalmente, em figura, movimentos, caráter e história, várias figuras irreais que eram para mim tão visíveis e minhas como as cousas daquilo a que chamamos, porventura abusivamente, a vida real. Esta tendência, que me vem desde que me lembro de ser um eu, tem-me acompanhado sempre, mudando um pouco o tipo de música com que me encanta, mas não alterando nunca a sua maneira de encantar".

uma estátua de anjo para que nunca mais ninguém olhasse...

TERCEIRA – As vossas frases lembram-me a minha alma...

SEGUNDA – É talvez por não serem verdadeiras... Mal sei que as digo... Repito-as seguindo uma voz que não ouço que mas está segredando... Mas eu devo ter vivido realmente à beira-mar... Sempre que uma cousa ondeia, eu amo-a... Há ondas na minha alma... Quando ando embalo-me... Agora eu gostaria de andar... Não o faço porque não vale nunca a pena fazer nada, sobretudo o que se quer fazer... Dos montes é que eu tenho medo... É impossível que eles sejam tão parados e grandes... Devem ter um segredo de pedra que se recusam a saber que têm... Se desta janela, debruçando-me, eu pudesse deixar de ver montes, debruçar-se-ia um momento da minha alma alguém em quem eu me sentisse feliz...

PRIMEIRA – Por mim, amo os montes... Do lado de cá de todos os montes é que a vida é sempre feia... Do lado de lá, onde mora minha mãe, costumávamos sentarmo-nos a sombra dos tamarindos e falar de ir ver outras terras... Tudo ali era longo e feliz como o canto de duas aves, uma de cada lado do caminho... A floresta não tinha outras clareiras senão os nossos pensamentos... E os nossos sonhos eram de que as árvores projetassem no chão outra calma que não as suas sombras... Foi decerto assim que ali vivemos, eu e não sei se mais alguém... Dizei-me que isto foi verdade para que eu não tenha de chorar...

SEGUNDA – Eu vivi entre rochedos e espreitava o mar... A orla da minha saia era fresca e salgada batendo nas minhas pernas nuas... Eu era pequena e bárbara... Hoje tenho medo de ter sido... O presente parece-me que durmo... Falai-me das fadas. Nunca ouvi falar delas a ninguém... O mar era grande demais para fazer pensar nelas... Na vida aquece ser pequeno... Éreis feliz, minha irmã?

Primeira – Começo neste momento a tê-lo sido outrora... De resto, tudo aquilo se passou na sombra... As árvores viveram-no mais do que eu... Nunca chegou quem eu mal esperava... E vós, irmã, por que não falais?

Terceira – Tenho horror a de aqui a pouco vos ter já dito o que vos vou dizer. As minhas palavras presentes, mal eu as diga, pertencerão logo ao passado, ficarão fora de mim, não sei onde, rígidas e fatais... Falo, e penso nisto na minha garganta, e as minhas palavras parecem-me gente... Tenho um medo maior do que eu. Sinto na minha mão, não sei como, a chave de uma porta desconhecida. E toda eu sou um amuleto ou um sacrário que estivesse com consciência de si próprio. É por isto que me apavora ir, como por uma floresta escura, através do mistério de falar... E afinal, quem sabe se eu sou assim e se é isto sem dúvida que sinto?...

Primeira – Custa tanto saber o que se sente quando reparamos em nós!... Mesmo viver sabe a custar tanto quando se dá por isso... Falai, portanto, sem reparardes que existis... Não nos íeis dizer quem éreis?

Terceira – O que eu era outrora já não se lembra de quem sou... Pobre da feliz que eu fui!... Eu vivi entre as sombras dos ramos, e tudo na minha alma é folhas que estremecem. Quando ando ao sol a minha sombra é fresca. Passei a fuga dos meus dias ao lado de fontes, onde eu molhava, quando sonhava de viver, as pontas tranquilas dos meus dedos... Às vezes, à beira dos lagos, debruçava-me e fitava-me... Quando eu sorria, os meus dentes eram misteriosos na água... Tinham um sorriso só deles, independente do meu... Era sempre sem razão que eu sorria... Falai-me da morte, do fim de tudo, para que eu sinta uma razão para recordar...

Primeira – Não falemos de nada, de nada... Está mais frio, mas por que é que está mais frio? Não há razão para estar mais frio. Não é bem mais frio que está... Para que é que havemos de falar?... É melhor cantar, não sei por quê... O canto, quando a gente canta de noite, é uma pessoa alegre e sem medo que entra de repente no quarto e o aquece a consolar-nos... Eu podia cantar-vos uma canção que cantávamos em casa de meu passado. Por que é que não quereis que vo-la cante?

Terceira – Não vale a pena, minha irmã... Quando alguém canta, eu não posso estar comigo. Tenho que não poder recordar-me. E depois todo o meu passado torna-se outro e eu choro uma vida morta que trago comigo e que não vivi nunca. É sempre tarde demais para cantar, assim como é sempre tarde demais para não cantar...

(uma pausa)

Primeira – Breve será dia... Guardemos silêncio... A vida assim o quer. Ao pé da minha casa natal havia um lago. Eu ia lá e assentava-me à beira dele, sobre um tronco de árvore que caíra quase dentro da água... Sentava-me na ponta e molhava na água os pés, esticando para baixo os dedos. Depois olhava excessivamente para as pontas dos pés, mas não era para os ver. Não sei por quê, mas parece-me deste lago que ele nunca existiu... Lembrar-me dele é como não me poder lembrar de nada... Quem sabe por que é que eu digo isto e se fui eu que vivi o que recordo?...

Segunda – À beira-mar somos tristes quando sonhamos... Não podemos ser o que queremos ser, porque o que queremos ser queremo-lo sempre ter sido no passado... Quando a onda se espalha e a espuma chia, parece que há mil vozes mínimas a falar. A espuma só parece ser fresca a quem a julga uma... Tudo é muito e nós não sabemos nada... Quereis que vos conte o que eu sonhava à beira-mar?

Primeira – Podeis contá-lo, minha irmã; mas nada em nós tem necessidade de que no-lo conteis... Se é belo, tenho já pena de vir a tê-lo ouvido. E se não é belo, esperai... contai-o só depois de o alterardes...

Segunda – Vou dizer-vo-lo. Não é inteiramente falso, porque sem dúvida nada é inteiramente falso. Deve ter sido assim... Um dia que eu dei por mim recostada no cimo frio de um rochedo, e que eu tinha esquecido que tinha pai e mãe e que houvera em mim infância e outros dias – nesse dia vi ao longe, como uma coisa que eu só pensasse em ver, a passagem vaga de uma vela... Depois ela cessou... Quando reparei para mim, vi que já tinha esse meu sonho... Não sei onde ele teve princípio... E nunca tornei a ver outra vela... Nenhuma das velas dos navios que saem aqui de um porto se parece com aquela, mesmo quando é lua e os navios passam longe devagar...

Primeira – Vejo pela janela um navio ao longe. É talvez aquele que vistes...

Segunda – Não, minha irmã; esse que vedes busca sem dúvida um porto qualquer... Não podia ser que aquele que eu vi buscasse qualquer porto...

Primeira – Por que é que me respondestes?... Pode ser... Eu não vi navio nenhum pela janela... Desejava ver um e falei-vos dele para não ter pena... Contai-nos agora o que foi que sonhastes à beira-mar...

Segunda – Sonhava de um marinheiro que se houvesse perdido numa ilha longínqua. Nessa ilha havia palmeiras hirtas, poucas, e aves vagas passavam por elas... Não vi se alguma vez pousavam... Desde que, naufragado, se salvara, o marinheiro vivia ali... Como ele não tinha meio de voltar à pátria, e cada vez que se lembrava dela sofria, pôs-se a sonhar uma pátria que nunca tivesse tido; pôs-se a fazer ter sido sua uma outra pátria, uma outra espécie de país com outras espécies de paisagem, e outra gente, e outro feitio de passarem pelas ruas e de se debruçarem das janelas... Cada hora ele construía em sonho esta falsa pátria, e ele nunca deixava de sonhar, de dia à sombra curta das grandes palmeiras, que se recortava, orlada de bicos, no chão areento e quente; de noite, estendido na praia, de costas e não reparando nas estrelas.

Primeira – Não ter havido uma árvore que mosqueasse sobre as minhas mãos estendidas a sombra de um sonho como esse!...

Terceira – Deixai-a falar... Não a interrompais... Ela conhece palavras que as sereias lhe ensinaram... Adormeço para a poder escutar... Dizei, minha irmã, dizei... Meu coração dói-me de não ter sido vós quando sonháveis à beira-mar...

Segunda – Durante anos e anos, dia a dia, o marinheiro erguia num sonho contínuo a sua nova terra natal... Todos os dias punha uma pedra de sonho nesse edifício impossível... Breve ele ia tendo um país que já tantas vezes havia percorrido. Milhares de horas lembrava-se já de ter passado ao longo de suas costas. Sabia de que cor soíam ser os crepúsculos numa baía do Norte, e como era suave entrar, noite alta, e com a alma recostada no murmúrio da água que o navio abria, num grande porto do Sul onde ele passara outrora, feliz talvez, das suas mocidades a suposta...

(uma pausa)

Primeira – Minha irmã, por que é que vos calais?

Segunda – Não se deve falar demasiado... A vida espreita-nos sempre... Toda a hora é materna para os sonhos, mas é preciso não o saber... Quando falo demais começo a separar-me de mim e a ouvir-me falar. Isso faz com que me compadeça de mim própria e sinta demasiadamente o coração. Tenho então uma vontade lacrimosa de o ter nos braços para o poder embalar como a um filho... Vede: o horizonte empalideceu... O dia não pode já tardar... Será preciso que eu vos fale ainda mais do meu sonho?

Primeira – Contai sempre, minha irmã, contai sempre... Não pareis de contar, nem repareis em que dias raiam... O dia nunca raia para quem encosta a cabeça no seio das horas sonhadas... Não torçais as mãos. Isso faz um ruído como o de uma serpente furtiva... Falai-nos muito mais do vosso sonho. Ele e tão verdadeiro que não tem sentido nenhum. Só pensar em ouvir-vos me toca música na alma...

Segunda – Sim, falar-vos-ei mais dele. Mesmo eu preciso de vo-lo contar. À medida que o vou contando, é a mim também que o conto... São três a escutar... (*De repente, olhando para o caixão, e estremecendo.*) Três não... Não sei... Não sei quantas...

Terceira – Não faleis assim... Contai depressa, contai outra vez... Não faleis em quantos podem ouvir... Nós nunca sabemos quantas coisas realmente vivem e veem e escutam... Voltai ao vosso sonho... O marinheiro. O que sonhava o marinheiro?...

Segunda (*mais baixo, numa voz muito lenta*) – Ao princípio ele criou as paisagens; depois criou as cidades; criou depois as ruas e as travessas, uma e uma, cinzelando-as na matéria da sua alma – uma a uma as ruas, bairro a bairro, até às muralhas do cais de onde ele criou depois os portos... Uma a uma as ruas, e a gente que as percorria e que olhava sobre elas das janelas... Passou a conhecer certa gente, como quem a reconhece apenas... Ia-lhes conhecendo as vidas passadas e as conversas, e tudo isto era como quem sonha apenas paisagens e as vai vendo... Depois viajava, recordado, através do país que criara... E assim foi construindo o seu passado... Breve tinha uma outra vida anterior... Tinha já, nessa nova pátria, um lugar onde nascera, os lugares onde passara a juventude, os portos onde embarcara... Ia tendo tido os companheiros da infância e depois os amigos e inimigos da sua idade viril... Tudo era diferente de como ele o tivera – nem o país, nem a gente, nem o seu passado próprio se pareciam com o que haviam sido... Exigis que eu continue?... Causa-me tanta pena falar disto!... Agora, porque vos falo disto, aprazia-me mais estar-vos falando de outros sonhos...

TERCEIRA – Continuai, ainda que não saibais por quê... Quanto mais vos ouço, mais me não pertenço...

PRIMEIRA – Será bom realmente que continueis? Deve qualquer história ter fim? Em todo o caso falai... Importa tão pouco o que dizemos ou não dizemos... Velamos as horas que passam... O nosso mister é inútil como a Vida...

SEGUNDA – Um dia, que chovera muito, e o horizonte estava mais incerto, o marinheiro cansou-se de sonhar... Quis então recordar a sua pátria verdadeira... mas viu que não se lembrava de nada, que ela não existia para ele... Meninice de que se lembrasse, era a na sua pátria de sonho; adolescência que recordasse, era aquela que se criara... Toda a sua vida tinha sido a sua vida que sonhara... E ele viu que não podia ser que outra vida tivesse existido... Se ele nem de uma rua, nem de uma figura, nem de um gesto materno se lembrava... E da vida que lhe parecia ter sonhado, tudo era real e tinha sido... Nem sequer podia sonhar outro passado, conceber que tivesse tido outro, como todos, um momento, podem crer... Ó minhas irmãs, minhas irmãs... Há qualquer coisa, que não sei o que é, que vos não disse... qualquer coisa que explicaria isto tudo... A minha alma esfria-me... Mal sei se tenho estado a falar... Falai-me, gritai-me, para que eu acorde, para que eu saiba que estou aqui ante vós e que há coisas que são apenas sonhos...

PRIMEIRA (*numa voz muito baixa*) – Não sei que vos diga... Não ouso olhar para as cousas... Esse sonho como continua?...

Segunda – Não sei como era o resto... Mal sei como era o resto... Por que é que haverá mais?

Primeira – E o que aconteceu depois?

Segunda – Depois? Depois de quê? Depois é alguma cousa?... Veio um dia um barco... Veio um dia um barco... – Sim, sim... só podia ter sido assim... – Veio um dia um barco, e passou por essa ilha, e não estava lá o marinheiro...

Terceira – Talvez tivesse regressado à Pátria... Mas a qual?

Primeira – Sim, a qual? E o que teriam feito ao marinheiro? Sabê-lo-ia alguém?

Segunda – Por que é que mo perguntais? Há resposta para alguma coisa?

(uma pausa)

Terceira – Será absolutamente necessário, mesmo dentro do vosso sonho, que tenha havido esse marinheiro e essa ilha?

Segunda – Não, minha irmã; nada é absolutamente necessário.

Primeira – Ao menos, como acabou o sonho?

Segunda – Não acabou... Não sei... Nenhum sonho acaba... Sei eu ao certo se o não continuo sonhando, se o não sonho sem o saber, se o sonhá-lo não é esta coisa vaga a que eu chamo a minha vida?... Não me faleis mais... Principio a estar certa de qualquer coisa, que não sei o que é... Avançam para mim, por uma noite que não é esta, os passos de uni horror que desconheço... Quem teria eu ido despertar com o sonho meu que vos contei?... Tenho um medo disforme de que Deus tivesse proibido o meu sonho... Ele é sem dúvida mais real do que Deus permite... Não estejais silenciosas... Dizei-me ao menos que a noite vai passando, embora eu o saiba... Vede, começa a ir ser dia... Vede: vai haver o dia real... Paremos... Não pensemos mais... Não tentemos seguir nesta aventura interior... Quem sabe o que está no fim dela?... Tudo isto, minhas irmãs, passou-se na noite... Não falemos mais disto, nem a nós próprios... É humano e conveniente que tomemos, cada qual, a sua atitude de tristeza.

TERCEIRA – Foi-me tão belo escutar-vos... Não digais que não... Bem sei que não valeu a pena... É por isso que o achei belo... Não foi por isso, mas deixai que eu o diga... De resto, a música da vossa voz, que escutei ainda mais que as vossas palavras, deixa-me, talvez só por ser música, descontente...

SEGUNDA – Tudo deixa descontente, minha irmã... Os homens que pensam cansam-se de tudo, porque tudo muda. Os homens que passam provam-no, porque mudam com tudo... De eterno e belo há apenas o sonho... Por que estamos nós falando ainda?...[6]

PRIMEIRA – Não sei... (*olhando para o caixão, em voz mais baixa*) – Por que é que se morre?

SEGUNDA – Talvez por não se sonhar bastante...

PRIMEIRA – É possível... Não valeria então a pena fecharmo-nos no sonho e esquecer a vida, para que a morte nos esquecesse?...

SEGUNDA – Não, minha irmã, nada vale a pena...

TERCEIRA – Minhas irmãs, é já dia... Vede a linha dos montes maravilha-se... Por que não choramos nós?... Aquela que finge estar ali era bela, e nova como nós, e sonhava também... Estou certa que o sonho dela era o mais belo de todos... Ela de que sonharia?...

---

6. Interessante observar o diálogo que Álvaro de Campos estabelece com Pessoa sobre "O Marinheiro": "A Fernando Pessoa (Depois de ler seu drama estático 'O Marinheiro' em 'Orpheu I') Depois de doze minutos / Do seu drama 'O Marinheiro', / Em que os mais ágeis e astutos / Se sentem com sono e brutos, / E de sentido nem cheiro, / Diz rima das veladoras / Com langorosa magia /De eterno e belo há apenas o sonho. / Por que estamos nós falando ainda? // Ora isso mesmo é que eu ia / Perguntar a essas senhoras...".

PRIMEIRA – Falai mais baixo. Ela escuta-nos talvez, e já sabe para que servem os sonhos...

(uma pausa)

SEGUNDA – Talvez nada disto seja verdade... Todo este silêncio e esta morta, e este dia que começa não são talvez senão um sonho... Olhai bem para tudo isto... Parece-vos que pertence à vida?...

PRIMEIRA – Não sei. Não sei como se é da vida... Ah, como vós estais parada! E os vossos olhos são tristes, parece que o estão inutilmente...

SEGUNDA – Não vale a pena estar triste de outra maneira... Não desejais que nos calemos? É tão estranho estar a viver... Tudo o que acontece é inacreditável, tanto na ilha do marinheiro como neste mundo... Vede, o céu é já verde. O horizonte sorri ouro... Sinto que me ardem os olhos, de eu ter pensado em chorar...

PRIMEIRA – Chorastes, com efeito, minha irmã.

SEGUNDA – Talvez... Não importa... Que frio é isto?... Ah, é agora... é agora!... Dizei-me isto... Dizei-me uma coisa ainda... Por que não será a única coisa real nisto tudo o marinheiro, e nós e tudo isto aqui apenas um sonho dele?...

PRIMEIRA – Não faleis mais, não faleis mais... Isso é tão estranho que deve ser verdade... Não continueis... O que íeis dizer não sei o que é, mas deve ser demais para a alma o poder ouvir... Tenho medo do que não chegastes a dizer... Vede, vede, é dia já... Vede o dia... Fazei tudo por repararades só no dia, no dia real, ali fora... Vede-o, vede-o... Ele consola... Não penseis, não olheis para o que pensais... Vede-o a vir, o dia... Ele brilha como ouro numa terra de prata. As leves nuvens arredondam-se à medida que se coloram... Se nada existisse, minhas irmãs?... Se tudo fosse, de qualquer modo, absolutamente coisa nenhuma?... Por que olhastes assim?...

(Não lhe respondem.
E ninguém olhara de nenhuma maneira.)

A MESMA – Que foi isso que dissestes e que me apavorou?... Senti-o tanto que mal vi o que era... Dizei-me o que foi, para que eu, ouvindo-o segunda vez, já não tenha tanto medo como dantes... Não, não... Não digais nada... Não vos pergunto isto para que me respondais, mas para falar apenas, para me não deixar pensar... Tenho medo de me poder lembrar do que foi. Mas foi qualquer coisa de grande e pavoroso como o haver Deus... Devíamos já ter acabado de falar... Há tempo já que a nossa conversa perdeu o sentido... O que é entre nós que nos faz falar prolonga-se demasiadamente... Há mais presenças aqui do que as nossas almas... O dia devia ter já raiado... Deviam já ter acordado... Tarda qualquer coisa... Tarda tudo... O que é que se está dando nas coisas de acordo com o nosso horror?... Ah, não me abandoneis... Falai comigo, falai comigo... Falai ao mesmo tempo do que eu para não deixardes sozinha a minha voz... Tenho menos medo à minha voz do que à ideia da minha voz, dentro de mim, se for reparar que estou falando...

TERCEIRA – Que voz é essa com que falais?... É de outra... Vem de uma espécie de longe...

PRIMEIRA – Não sei... Não me lembreis isso... Eu devia estar falando com a voz aguda e tremida do medo... Mas já não sei como é que se fala... Entre mim e a minha voz abriu-se um abismo... Tudo isto, toda esta conversa e esta noite, e este medo – tudo isto devia ter acabado, devia ter acabado de repente, depois do horror que nos dissestes... Começo a sentir que o esqueço, a isso que dissestes, e que me fez pensar que eu devia gritar de uma maneira nova para exprimir um horror de aqueles...

TERCEIRA (*para a* SEGUNDA) – Minha irmã, não nos devíeis ter contado esta história. Agora estranho-me viva com mais horror. Contáveis e eu tanto me distraía que ouvia o sentido das vossas palavras e o seu som separadamente. E parecia-me que vós e a vossa voz, e o sentido do que dizíeis eram três entes diferentes, como três criaturas que falam e andam.

Segunda – São realmente três entes diferentes, com vida própria e real. Deus talvez saiba por quê... Ah, mas por que é que falamos? Quem é que nos faz continuar falando? Por que falo eu sem querer falar? Por que é que já não reparamos que é dia?...

Primeira – Quem pudesse gritar para despertarmos! Estou a ouvir-me a gritar dentro de mim, mas já não sei o caminho da minha vontade para a minha garganta. Sinto uma necessidade feroz de ter medo de que alguém possa agora bater àquela porta. Por que não bate alguém à porta? Seria impossível e eu tenho necessidade de ter medo disso, de saber de que é que tenho medo... Que estranha que me sinto!... Parece-me já não ter a minha voz... Parte de mim adormeceu e ficou a ver... O meu pavor cresceu mas eu já não sei senti-lo... Já não sei em que parte da alma é que se sente... Puseram ao meu sentimento do corpo uma mortalha de chumbo... Para que foi que nos contastes a vossa história?

Segunda – Já não me lembro... Já mal me lembro que a contei... Parece ter sido já há tanto tempo!... Que sono, que sono absorve o meu modo de olhar para as coisas!... O que é que nós queremos fazer? o que é que nós temos ideia de fazer? – já não sei se é falar ou não falar...

Primeira – Não falemos mais. Por mim, cansa-me o esforço que fazeis para falar... Dói-me o intervalo que há entre o que pensais e o que dizeis... A minha consciência boia à tona da sonolência apavorada dos meus sentidos pela minha pele... Não sei o que é isto, mas é o que sinto... Preciso dizer frases confusas, um pouco longas, que custem a dizer... Não sentis tudo isto como uma aranha enorme que nos tece de alma a alma uma teia negra que nos prende?

Segunda – Não sinto nada... Sinto as minhas sensações como uma coisa que se sente... Quem é que eu estou sendo?... Quem é que está falando com a minha voz?... Ah, escutai...

Primeira e Terceira – Quem foi?

Segunda – Nada. Não ouvi nada... Quis fingir que ouvia para que vós supusésseis que ouvíeis e eu pudesse crer que havia alguma coisa a ouvir... Oh, que horror, que horror íntimo nos desata a voz da alma, e as sensações dos pensamentos, e nos faz falar e sentir e pensar quando tudo em nós pede o silêncio e o dia e a inconsciência da vida... Quem é a quinta pessoa neste quarto que estende o braço e nos interrompe sempre que vamos a sentir?

Primeira – Para que tentar apavorar-me? Não cabe mais terror dentro de mim... Peso excessivamente ao colo de me sentir. Afundei-me toda no lodo morno do que suponho que sinto. Entra-me por todos os sentidos qualquer coisa que nos pega e nos vela. Pesam-me as pálpebras a todas as minhas sensações. Prende-se a língua a todos os meus sentimentos. Um sono fundo cola uma às outras as ideias de todos os meus gestos.[7] Por que foi que olhastes assim?...

---

7. Com uma nota manuscrita do poeta em que se repete esta frase, encontra-se um fragmento de diálogo que dificilmente pertenceria ao drama, a não ser que Pessoa tenha pensado em vir a modificá-lo:
"– Não sei a que é que fui traidor, para me quebrarem a espada contra os joelhos e rojarem pelas ruas a púrpura [...] do meu manto...
– Ninguém vos quebrou a espada [...], nem vos pôs mão no manto.
– Ah, eu sei tudo... [...]".

Terceira (*numa voz muito lenta e apagada*) – Ah, é agora, é agora... Sim, acordou alguém... Há gente que acorda... Quando entrar alguém tudo isto acabará... Até lá façamos por crer que todo este horror foi um longo sono que fomos dormindo... É dia já... Vai acabar tudo... E de tudo isto fica, minha irmã, que só vós sois feliz, porque acreditais no sonho...

Segunda – Por que é que mo perguntais? Por que eu o disse? Não, não acredito...

> Um galo canta. A luz, como que subitamente, aumenta. As três veladoras quedam-se silenciosas e sem olharem umas para as outras.
>
> Não muito longe, por uma estrada, um vago carro geme e chia.

11/12, outubro, 1913.

PRIMEIRO FAUSTO

Primeiro tema
O MISTÉRIO DO MUNDO

I

Quero fugir ao mistério
Para onde fugirei?
Ele é a vida e a morte
Ó Dor, aonde me irei?

II

                O mistério de tudo
Aproxima-se tanto do meu ser,
Chega aos olhos meus d'alma tão [de] perto,
Que me dissolvo em trevas e universo...
Em trevas me apavoro escuramente.

III

O perene mistério, que atravessa
Como um suspiro céus e corações...

IV

O mistério ruiu sobre a minha alma
E soterrou-a... Morro consciente!

V

Acorda, eis o mistério ao pé de ti!
E assim pensando riu amargamente,
Dentro em mim riu como se chorasse!

VI

Ah, tudo é símbolo e analogia![8]
O vento que passa, a noite que esfria,
São outra coisa que a noite e o vento –
Sombras de vida e de pensamento.

Tudo o que vemos é outra coisa.
A maré vasta, a maré ansiosa,
É o eco de outra maré que está
Onde é real o mundo que há.

Tudo o que temos é esquecimento.
A noite fria, o passar do vento,
São sombras de mãos, cujos gestos são
A ilusão madre desta ilusão.[9]

VII

Mundo, confranges-me por existir.
Tenho-te horror porque te sinto ser
E compreendo que te sinto ser
Até às fezes da compreensão.
Bebi a taça [...] do pensamento
Até ao fim; reconheci-a pois
Vazia, e achei horror. Mas eu bebi-a.
Raciocinei até achar verdade,
Achei-a e não a entendo. Já se esvai
Neste desejo de compreensão,
Inalteravelmente,
Neste lidar com seres e absolutos,
O que em mim, por sentir, me liga à vida

---

8. Este fragmento está datado, no manuscrito original, de 9 de novembro de 1932.

9. Variantes que aparecem no manuscrito original: a) – A realidade desta ilusão. b) – A ilusão mãe desta ilusão.

E pelo pensamento me faz homem.
....
....
.... E neste orgulho certo
Fechado mais ainda e alheado
Me vou, do limitado e relativo
Mundo em que arrasto a cruz do meu pensar.

VIII

Cidades, com seus comércios...

Tudo é permanentemente estranho, mesmamente
Descomunal, no pensamento fundo;[10]
Tudo é mistério, tudo é transcendente[11]
Na sua complexidade enorme:
Um raciocínio visionado e exterior,
Uma ordeira misteriosidade –
Silêncio interior cheio de som.

IX

                      Já estão em mim exaustas,
Deixando-me transido de terror,
Todas as formas de pensar [...]
O enigma do universo. Já cheguei
A conceber, como requinte extremo
Da exausta inteligência, que era Deus...[12]
....
Já cheguei a aceitar como verdade

---

10. Variante que aparece no manuscrito original: a) – [...] descomunal perante a razão.

11. Variante que aparece no manuscrito original: a) – Estranhamente incompreendido

12. Cinco versos incompletos suprimidos.

O que nos dão por ela, e a admitir
Uma realidade não real
Mas não sonhada, [como o] Deus Cristão.
....[13]

...Falhados pensamentos e sistemas
Que, por falharem, só mais negro fazem
O poder horroroso que os transcende
A todos, [sim,] a todos.
Oh horror! Oh mistério! Oh existência!
....[14]

X

O segredo da Busca é que não se acha.
Eternos mundos infinitamente,
Uns dentro de outros, sem cessar decorrem
Inúteis; Sóis, Deuses, Deus dos Deuses
Neles intercalados e perdidos
Nem a nós encontramos, no infinito.
Tudo é sempre diverso, e sempre adiante
De [Deus] e Deuses: essa, a luz incerta
Da suprema verdade.

XI

Nos vastos céus estrelados
Que estão além da razão,
Sob a regência de fados
Que ninguém sabe o que são.
Há sistemas infinitos,
Sóis centros de mundos seus,

---

13. Onze versos incompletos suprimidos.
14. Seis versos incompletos suprimidos.

E cada sol é um Deus.

Eternamente excluídos
Uns dos outros, cada um
E universo.

XII

Num atordoamento e confusão
Arde-me a alma, sinto nos meus olhos
Um fogo estranho, de compreensão
E incompreensão urdido, enorme
Agonia e anseio de existência,
Horror e dor, [agonia] sem fim!

XIII

Fantasmas sem lugar, que a minha mente
Figura no visível, sombras minhas
Do diálogo comigo.

XIV

Não, não vos disse... A essência inatingível
Da profusão das coisas, a substância,[15]
Furta-se até a si mesma. Se entendestes
Neste ou naquele modo o que vos disse,
Não o entendestes, que lhe falta o modo
Por que se entenda.

---

15. Entre este verso e o seguinte há um verso suprimido. Pessoa o deixou apenas esboçado em parêntesis.

XV

Do eterno erro na eterna viagem,[16]
O mais que [exprime] na alma que ousa,
É sempre nome, sempre linguagem,
O véu e capa de uma outra cousa.

Nem que conheças de frente o Deus,
Nem que o Eterno te dê a mão,
Vês a verdade, rompes os véus,
Tens mais caminho que a solidão.

Todos os astros, inda os que brilham
No céu sem fundo do mundo interno,
São só caminhos que falsos trilham
Eternos passos do erro eterno.

Volta a meu seio, que não conhece
             os deuses, porque os não vê,
Volta a meus braços, melhor esquece
             que tudo só fingir que é.

XVI

Ondas de aspiração [...][17]
Sem mesmo o coração e alma atingir
Do vosso sentimento; ondas de pranto,
Não vos posso chorar, e em mim subis,
Maré imensa, numerosa e surda,
Para morrer da praia no limite
Que a vida impõe ao Ser; ondas saudosas
De algum mar alto aonde a praia seja

---

16. Este fragmento está datado, no manuscrito original, de 20 de outubro de 1933.

17. No manuscrito original este fragmento tem a indicação de cena "Fausto, no seu laboratório" e a rubrica: "Fausto, só".

Um sonho inútil, ou de alguma terra
Desconhecida mais que o eterno [amor]
De eterno sofrimento, e aonde formas
Dos olhos de alma não imaginadas
Vogam essências [...]
Esquecidas daquilo que chamamos
Suspiros, lágrimas, desolação;
[Ondas] nas quais não posso visionar
Nem dentro em mim, em sonho, [barco] ou ilha,
Nem esperança transitória, nem
Ilusão nada da desilusão;
Oh, ondas sem brancuras nem asperezas,
Mas redondas, como óleos, e silentes
No vosso intérmino e total rumor –
Oh, ondas das almas, decaí em lago
Ou levantai-vos ásperas e brancas
Com o sussurro ácido da esperança...
Erguei em tempestades a minha alma!
....[18]
.... Não haverá,
Além da morte e da imortalidade,
Qualquer coisa maior? Ah, deve haver
Além da vida e morte, ser, não ser,
Um inominável supertranscendente,
Eterno incógnito e incognoscível!

Deus? Nojo. Céu, inferno? Nojo, nojo.
Pr'a que pensar, se há de parar aqui
O curto voo do entendimento?
Mais além! Pensamento, mais além!

---

[18]. Dezesseis versos incompletos foram suprimidos.

XVII

Paro à beira de mim e me debruço...[19]
Abismo... E nesse abismo o Universo.
Com seu tempo e seu 'spaço, é um astro, e nesse
Alguns há, outros universos, outras
Formas do Ser com outros tempos, 'spaços
E outras vidas diversas desta vida...

O espírito é outra estrela... O Deus pensável
É um sol... E há mais Deuses, mais espíritos
De outras essências de Realidade...[20]

E eu precipito-me no abismo, e fico
Em mim... E nunca desço... E fecho os olhos
E sonho – e acordo para a Natureza...
Assim eu volto a mim e à Vida...
....[21]
Deus a si próprio não se compreende.
Sua origem é mais divina que ele,
E ele não tem a origem que as palavras
Pensam fazer pensar...
....[22]
O abstrato Ser [em sua] abstrata ideia[23]
Apagou-se, e eu fiquei na noite eterna.
Eu e o Mistério – face a face...

---

19. Este fragmento está datado, no manuscrito original, de 6 de novembro de 1912 e tem como título: "Em Mim".
20. Variante que aparece no manuscrito original: a) De outros universos de Realidade...
21. Dez versos incompletos suprimidos.
22. Treze versos incompletos suprimidos.
23. Entre este verso e o seguinte foi suprimido um verso que se encontrava esboçado em parêntesis.

XVIII

No meu abismo medonho[24]
Se despenha mudamente
A catarata de sonho
Do mundo eterno e presente.
Formas e ideias eu bebo,
E o mistério e horror do mundo
Silentemente recebo
No meu abismo profundo.

O Ser em si nem é o nome
Do meu ser inenarrável;
No meu mudo Maëlstrom[25]
O grande mundo inestável
Como um suspiro se apaga
E um silêncio mais que infindo
Acolhe o acorrer do vago
Que em mim se vai esvaindo.

Por mais que o Ser, que transcende
Criatura e Criador,
Se esse Ser ninguém entende
Ele, a mim e ao meu horror,
Menos. Vida, pensamento,
Tudo o que nem se adivinha,
É tudo como um momento
Numa eternidade minha.

....[26]

---

24. Este fragmento tem no manuscrito original a indicação "Entreato I".
25. Grande turbilhão de água.
26. Foi suprimida uma oitava incompleta.

XIX

.... Abre-me o sonho[27]
Para a loucura a tenebrosa porta,
Que a treva é menos negra que esta luz.

O terror desvaria-me, o terror
De me sentir viver e ter o mundo
Sonhado a laços de compreensão
Na minha alma gelada.

XX

A qualquer modo todo escuridão[28]
Eu sou supremo. Sou o Cristo negro.
O que não crê, nem ama – o que só sabe
O mistério tornado carne –.

Há um orgulho atro que me diz
Que Sou Deus inconscienciando-me
Para humano; sou mais real que o mundo,
Por isso odeio-lhe a existência enorme,
O seu amontoar de coisas vistas.
Como um santo devoto
Odeio o mundo, porque o que eu sou
E que não sei sentir que sou, conhece-o
Por não real e não ali.
Por isso odeio-o –
Seja eu o destruidor! Seja eu Deus ira!

---

27. Foram suprimidos treze versos incompletos e parte do décimo quarto.
28. Este fragmento tem o título no original de "Monólogo das Trevas".

XXI

Sou a Consciência em ódio ao inconsciente[29],
Sou um símbolo encarnado em dor e ódio,
Pedaço de alma de possível Deus
Arremessado para o mundo
Com a saudade pávida da pátria...
....[30]

Ó sistema mentido do universo.
Estrelas nadas, sóis irreais,
Oh, com que ódio carnal e estonteante
Meu ser de desterrado vos odeia!
Eu sou o inferno. Sou o Cristo negro,
Pregado na cruz ígnea de mim mesmo.
Sou o saber que ignora,
Sou a insônia da dor e do pensar...
....[31]

XXII

Ah, não poder tirar de mim os olhos,
Os olhos da minha alma [...]
(Disso a que alma eu chamo)
Só sei de duas coisas, nelas absorto
Profundamente; eu e o universo,
O universo e o mistério e eu sentindo
O universo e o mistério, apagados
Humanidade, vida, amor, riqueza.

Oh vulgar, oh feliz! Quem sonha mais,
Eu ou tu? Tu que vives inconsciente,

---

29. Este fragmento tem o título no original de "Monólogo da Noite".

30. Seis versos incompletos suprimidos.

31. Foram suprimidos os versos finais, que estavam incompletos.

Ignorando este horror que é existir,
Ser, perante o [profundo] pensamento
Que o não resolve em compreensão, tu
Ou eu, que analisando e discorrendo
E penetrando [...] nas essências,
Cada vez sinto mais desordenado
Meu pensamento louco e sucumbido.
Cada vez sinto mais como se eu,
Sonhando menos, consciência alerta
Fosse apenas sonhando mais profundo...
....[32]

XXIII

.... Ah, que diversidade,
E tudo sendo. O mistério do mundo,
O íntimo, horroroso, desolado,
Verdadeiro mistério da existência,
Consiste em haver esse mistério.
....[33]

XXIV

Essa simplicidade d'alma
Possuída não só dos inocentes
Mas até dos viciosos, criminosos...
....[34]
.... essa simplicidade
Perdi-a, e só me resta um vácuo imenso
Que o pensamento friamente ocupa.

---

32. Dez versos incompletos suprimidos.

33. Cinco versos incompletos suprimidos.

34. Cinco versos incompletos e o início do sexto foram suprimidos.

XXV

Tremo de medo:[35]
Eis o segredo aberto.
Além de ti
Nada há, decerto,
Nem pode haver
Além de ti,
Que [só] tens essência
Nem tens existência
E te chamas [...] Ser.

XXVI

Mais que a existência
É um mistério o existir, o ser, o haver
Um ser, uma existência, um existir –
Um qualquer, que não este, por ser este –
Este é o problema que perturba mais.
O que é existir – não nós ou o mundo –
Mas existir em si?

XXVII

Não é a dor de já não poder crer
Que m'oprime, nem a de não saber,
Mas apenas [e mais] completamente o horror
De ter visto o mistério frente a frente,
De tê-lo visto e compreendido em toda
A sua infinidade de mistério.
É isto que me alheia, que me [traz]
Sempre mostrado em mim como um terror –
E maior terror há-o?

---

35. O título deste fragmento no original é "Suspiro do Mundo".

XXVIII

Para mim ser é admirar-me
              de estar sendo.

XXIX

Há entre mim e o real um véu
À própria concepção impenetrável.
Não me concebo amando, combatendo.
Vivendo com os outros. Há, em mim,
Uma impossibilidade de existir
De que [abdiquei], vivendo.

XXX

Tornei minha alma exterior a mim.

XXXI

Tarde! Não poder
Adivinhar o teu segredo
E o teu mistério ilúcido. Ignorar
Esta emoção.
Vaga desesperança quase amarga,
Da sensação que dás.
.... [36]

XXXII

.... [37]
Qu'importa? Tudo é o mesmo. A mim quer seja
Manhã inda d'orvalho arrepiada,
Dia, ligeiro ao sol, pesado em nuvens,

---

36. Os versos finais foram suprimidos por estarem incompletos.
37. Seis versos incompletos suprimidos.

A tarde,
A noite misteriosa,
Tudo, se nele penso, só me amarga
E me angustia.
....[38]

XXXIII

Acordado, abro os olhos.[39]
Vivo! Sou vivo ainda! Torno a ver-te,
Pálida luz, silente luz da tarde,
Que ora me [enches] de um cálido horror!
Onde estou? Onde estive? Ferve em mim,
Numa quietação indefinida,
Um eco de tumultos e de sombras
E uma coorte como de fantasmas
[Gritantes]. E luzes, cantos, gritos,
Desejos, lágrimas, chamas e corpos,
Num referver [tumultuoso] e misturado,
Numa esvaída confusão noturna –
Como tendo piedade de deixar-me –
Sinto passar em mim, como visões.
Nem com esforço recordar-me posso
Se são fantasmas ou vagas lembranças;
Não me lembro de vida alguma minha
E o necessário esforço, desejado
P'ra recordar-me, não o posso ter.
....[40]

Acabar. Nem desejo nem espero
Nem temo, n'apatia do meu ser.
Para que pois viver? Quero a morte,
E ao sentir os seus passos

---

38. Os versos finais foram suprimidos por estarem incompletos.
39. O fragmento abre com a rubrica: "Fausto (numa cama)".
40. Quatorze versos incompletos suprimidos.

Alegremente e apagadamente
Me voltarei lento para o seu lado,
Deixando enfim cair sobre o meu braço
Minha cabeça, olhos cerrados, quentes
Do choro vago já meio esquecido.
Mas onde estou? Que casa é esta? Quarto
Rude, simples – não sei, não tenho força
Para observar – quarto cheio da luz
Escura e demorada, que na tarde
Outrora eu... Mas que importa? A luz é tudo.
Eu conheço-a.

XXXIV

Basta ser breve e transitória a vida[41]
Para ser sonho. A mim, como a quem sonha,
E escuramente pesa a certa mágoa
De ter que despertar – a mim, a morte,
Mais como o horror de me tirar o sonho
E dar-me a realidade, me apavora,
Que como morte. Quantas vezes [quantas],
Em sonhos vazios conscientemente
Imerso, me não pesa o ter que ver
A realidade e o dia!

Sim, este mundo com seu céu e terra,
Com seus mares e rios e montanhas,
Com suas árvores, aves, bichos, homens,
Com o que o homem, com translata arte,
De qualquer construção divina, fez
– Casas, cidades, coisas, modas [...] –,
Este mundo, que [nunca] reconheço,

---

41. Fragmento datado, no original, de 3 de março de 1928. Observe-se seu diálogo, na essência, com o tema de "O Marinheiro".

Por sonho amo, e por ser sonho o [quero]
Ou [tenho] que deixá-lo e ver verdade,
– Me toma a gorja[42], com horror de negro,
O pensamento da hora inevitável,
E a verdade da morte me confrange.
Pudesse eu, sim, pudesse, eternamente
Alheio ao verdadeiro ser do mundo,
Viver sempre este sonho que é a vida!
Expulso embora da divina essência,
Ficção fingindo, vã mentira eterna,
Alma-sonho, que eu nunca despertasse!
Suave me é o sonho, e a vida [...] é sonho.
Temo a verdade e a verdadeira vida.
Quantas vezes, pesada a vida, busco
No seio maternal da noite e do erro,
O alívio de sonhar, dormindo; e o sonho
Uma perfeita vida me parece –
[...] ..., e porventura
Porque depressa passa. E assim é a vida.

XXXV

E o sentimento de que a vida passa
E o senti-la passar
Toma em mim tal intensidade,
De desolado e confrangido horror,
Que a esse próprio horror, horror eu tenho
Por ele e por senti-lo,
E por senti-lo como tal.

XXXVI

Aborreço-me da possibilidade
De vida eterna; o tédio

---

42. Garganta.

De viver sempre deve ser imenso.
Talvez o infinito seja isso...
Já o tédio de o pensar é horroroso.

Segundo tema

O HORROR DE CONHECER

I

                    O inexplicável horror
De saber que esta vida é verdadeira,
Que é uma coisa real, que e [como um] ser
Em todo o seu mistério [...]
Realmente real.

II

Do horror do mistério são, talvez guerreiros
Símbolos esses horrendos
Górgona[43] e Demogorgon[44] fabulosos,
Fatais um pelo aspecto o outro no nome.
Neles se vê a ávida ansiedade
De ter, em concepção que torturasse
De terror, isso que de vago e estranho,
Atravessando como um arrepio
Do pensamento a solidão, integra
Em luz parcial [...] a negra lucidez
Do mistério supremo. É conhecer,
O erguer desses ídolos de horror,

---

43. Criatura da mitologia grega representada como um monstro feroz, de aspecto feminino, com grandes presas.
44. Nome grego do demônio.

A existência daquilo que, pensando
A fundo, redemoinha o pensamento
Por loucos vãos [recantos], delírios da loucura,
Despenhadeiros [íngremes], confusos
Torturamentos, e o que mais de angústia
E pavor não se exprime, sem que falhe
Na própria concepção o conceber.[45]

III

.... Por que pois buscar[46]
Sistemas vãos de vãs filosofias,
Religiões, seitas, [voz de pensadores],
Se o erro é condição da nossa vida,
A única certeza da existência?
Assim cheguei a isto: tudo é erro,
Da verdade há apenas uma ideia
À qual não corresponde realidade.
Crer é morrer; pensar é duvidar;
A crença é o sono e o sonho do intelecto
Cansado, exausto, que a sonhar obtém
Efeitos lúcidos do engano fácil
Que antepôs a si mesmo, mais sentido,
Mais [visto] que o usual do seu pensar.
A fé é isto: o pensamento
A querer enganar-se eternamente
Fraco no engano, [e assim] no desengano;
Quer na ilusão, quer na desilusão.

---

45. Foram suprimidos os versos finais, que estavam incompletos.
46. Foram suprimidos quatro versos.

IV

Quanto mais fundamente penso, mais[47]
Profundamente me descompreendo.
O saber é a inconsciência de ignorar...[48]

V

Só a inocência e a ignorância são
Felizes, mas não o sabem. São-no ou não?
Que é ser sem no saber? Ser, como a pedra,
Um lugar, nada mais.

VI

Quando às vezes eu penso em meu futuro
Abre-se de repente [um largo] abismo
Perante o qual me cambaleia o ser.
E ponho sobre os olhos as mãos da alma
Para esconder aquilo que não vejo.
– Oh, lúgubres gracejos de expressão!

VII

                      Às vezes passam
Em mim relâmpagos de pensamento
Intuitivo e aprofundador,
Que angustiadamente me revelam
Momentos dum mistério que apavora;
Duvidosos, deslembrados, confrangem-me
De terror, que entontece o pensamento

---

47. O mesmo tema aparece num fragmento de canção, que no original tem por título "A Inocência Perdida" e a anotação "Entreato I": "Tinha um campo alegre,/ Mas no ardor da febre/ Devastei-o, e então/ Semeei-lhe amores/ E nasceram flores/ De desilusão."

48. Foram suprimidos sete versos incompletos.

E vagamente passa, e o meu ser volve
À escuridão e ao menor horror.

VIII

.... A loucura por que é
Mais sã que a falta dela?
....[49]
.... Qual a íntima razão
Que a crença e o sonho sejam necessários
E tudo o mais funesto?
....[50]
Ironia suprema do saber:
Só conheço isso que não entendo,
Só entendo o que entender não [posso]!
....[51]
.... E eu cambaleio
Pelas vias escuras da loucura
Olhos vagos de susto, pelo [horror]
De haver realidade e de haver ser,
De haver o fato da realidade.
....[52]
.... Tremo, e de repente
Uma sombra da noite pavorosa
Inunda-me o gelado pensamento

....

.... Vou caindo
Num precipício cujo horror não sei
Nem a mim mesmo [logro] figurar,
Que só calculo quando nele estou.

---

49. Foram suprimidos sete versos incompletos.
50. Foram suprimidos quatorze versos incompletos.
51. Foram suprimidos seis versos incompletos.
52. Foram suprimidos seis versos incompletos.

IX

A sonhar eu venci mundos[53]
Minha vida um sonho foi.
Cerra teus olhos profundos
Para a verdade que dói.
A Ilusão é mãe da vida:
Fui doido, e tudo por Deus.
Só a loucura incompreendida
Vai avante para os céus.

....

X

Do fundo da inconsciência[54]
Da alma sobriamente louca
Tirei poesia e ciência,
                      E não pouca
Maravilha, do inconsciente!
Em sonho, sonhos criei.
E o inundo atônito sente
Como é belo o que lhe dei.

XI

Só a loucura é que é grande![55]
E só ela é que é feliz!

---

53. Uma nota solta revela a intenção de fazer uma cena com as figuras de Cristo, Maomé e Buda e, ainda, Shakespeare, Goethe e Camões. Ficaram apenas fragmentos incompletos, como parte da fala de Cristo interpelando Fausto.
54. Fragmento da fala de Goethe.
55. Resposta de Vozes no fragmento da fala de Shakespeare.

XII

Montanhas, solidões [...], desertos todos,
[Inda] que assim eu tenha de morrer
Revelai-me a vossa alma, isso que faz
Que se me gele a mente ao perceber
Que realmente existis e, em verdade,
Que sois fato, existência, coisa, ser.

....[56]

Desespero ao ouvir-me assim dizer
Isso que n'alma tenho. Sinto-o, sinto-o,
E só falando não me compreendo,

....

Sentir isto, eis o horror que não tem nome!
Mas senti-lo a sentir, intimamente,
Não com anseios ou suspiros d'alma
Mas com pavor supremo, com o gelado
Inerte horror da desesperação!

XIII

Não tenho, não, já dúvida ou alegria;
Mas nem regresso mais a essa dúvida
Nem a essa alegria regressava,
Se possível me fosse; tenho o orgulho
De ter chegado aqui, onde ninguém,
Nem nas asas do doido pensamento
Nem nas asas da louca fantasia,
Chegou. E aqui me quedo. Consolado
Nesta perene desconsolação.

....[57]

....Esta
Diferença contra a diferença
Entre o vazio ceticismo antigo

---

56. Foram suprimidos nove versos incompletos.
57. Foram suprimidos oito versos incompletos.

Mudo adivinhador, não compreendendo
A força toda do que adivinhou –
Entre isto e o meu pensar. Cheguei aqui.
Nem daqui sair quero, nem queria
Aqui chegar. Mas aqui cheguei e fico.

XIV

Horror supremo! E não poder gritar
A Deus – não há – pedindo alívio!
A alma em mim se ironiza só pensando
Na de pedir ridícula vaidade...
....[58]
....Tenho em mim
A Verdade sentida e incompreendida
Mas fechada em si mesma, que não posso
Nem pensá-la. (Senti-la ninguém pode.)
....[59]
Como eu desejaria bem cerrar
Os olhos – sem morrer, sem descansar,
Não sei como – ao mistério e à verdade
E a mim mesmo – e não deixar de ser.
Morrer talvez, morrer, mas sem na morte
Encontrar o mistério face a face.
....[60]
Sinto-me alheio pelo pensamento,
Pela compreensão e incompreensão.
Ando como num sonho. Confrangido
Pelo terror da morte inevitável
E pelo mal da vida, que me faz
Sentir, por existir, aquele horror –
Atormentado sempre.

---

58. Foram suprimidos dezessete versos incompletos.
59. Foram suprimidos três versos incompletos.
60. Foram suprimidos dois versos incompletos.

                              Objetos mudos
Que pareceis sorrir-me horridamente
Só com essa existência e estar ali;
Odeio-vos de horror. Eu quereria...
Ah! pudesse eu dizê-lo – não o sei –
Nem viver nem morrer [...]
Nem sentir, nem ficar sem sentimento...
....[61]

Não posso mais, não posso, suportar
Esta tortura intensa, o interregno
Das existências que me cercam... Vamos,
Abramos a janela... Tarde, tarde...
É tarde... E outrora amava a tarde
Com seu silêncio suave e incompleto
Sentido além
Da base consciente do meu ser...
Hoje... não mais, não mais, me voltarão
As inocências e ignorâncias suaves
Que me tornavam a alma transparente.
Nunca mais, nunca mais eu te verei
Como te vi, do sol da tarde, nunca,
Nem tu, monte solene de verdura,
Nem as cores do poente desmaiado
Num respirar silente... E eu não poder
Chorar a vossa perda (que eu perdi-vos)
[Nem mesmo] as lágrimas poder achar –
Por amargas que fossem – com que outrora
Eu me lembrava que vos deixaria.
....[62]

.... Oh, minha alma amarga
Cheia de fel, e eu não poder chorar!
Quem sente chora, mas quem pensa não.
Eu, cujo amargor e desventura

---

61. Foram suprimidos três versos incompletos.
62. Foram suprimidos dois versos incompletos.

Vem de pensar, onde buscarei lágrimas
Se elas para o pensar não foram dadas?
Já nem sequer poder dizer-vos; Vinde,
Lágrimas, vinde! Nem sequer pensar
Que a chorar-vos ainda chegarei![63]

XV

                  Já ouço o impetuoso
Circular ruído de arrastadas folhas,
E, num vago abrir de olhos, na luz sinto
As amarelidões e palidezes
[Mal] o Outono sopra [novamente].
Deixá-lo que assim seja – que me importa?
Como um fresco lençol eu quereria
Puxar sombra e silêncio sobre mim
E dormir – ah, dormir! – num deslizar
Suave e brando para a inconsciência,
Num apagar sentido docemente.

XVI

Não sei de que maneira a sucessão[64]
Nos dias tem achado este meu ser
Que a si mesmo se tem [desconhecido].
Não sei que tempo vago atravessei
Nos breves dias de febril ausência
De parte do meu ser. Agora
Não sei o que há em mim, que sobrenada
A ignorada cousa que perdi.

---

63. Foram suprimidos dezenove versos incompletos.
64. No final deste fragmento aparece: "(Cai de joelhos ante a janela,/ a cabeça sobre os braços, olhando/ distraidamente para longe.)".

....[65]

Sinto pavor, mas já não é o mesmo
Pavor, nem é a mesma solidão
Doutrora, a solidão em que me sinto.

Queimei livros, papéis,
Destruí tudo por ficar bem só,
Por que não [sei], não sabê-lo desejo.

Resta-me apenas um desejo ermo
De amar e de sentir [...][66]
....
Pesado fardo da grandeza! Amor!
Não a reis nem a príncipes lhes pesa
E o responsável ânimo [...]
Como a mim a existência.[67]
....
Neste atordoamento nasce em mim
Qualquer coisa de negro e estranho e novo
Que pressinto com medo [...]
Aureolado de mim dentro em minha alma.
....[68]

Como a linha de negro [no horizonte]
Se ergue em negra nuvem e enegrece
E cresce levantando-se e [escurece]
O firmamento, sinto despontar
Prenúncios de tormenta e confusão
Num silêncio que existe dentro em mim.

---

65. Este fragmento tem no original a anotação: "Parte II – I".
66. Foram suprimidos sete versos incompletos.
67. Foram suprimidos cinco versos incompletos.
68. Foram suprimidos o final deste verso e mais dezesseis versos incompletos.

XVII

                      Quanto mais claro
Vejo em mim, mais escuro é o que vejo.
Quanto mais compreendo
Menos me sinto compreendido. Ó horror
[...] paradoxal deste pensar...[69]

XVIII

                    O decorrer dos dias
E todo o subjetivo e objetivo
Envelhecer de tudo, não me dói
Por sentido, mas sim por ponderado;
Nem ponderado dói, mas apavora.
Tudo tem as [razões] na treva
Do mistério e eu sou disso sempre
Demasiado consciente, muito
Atento ao substancial do existir
E à [consciência] do mistério em tudo.
Cada coisa p'ra mim é porta aberta
Por onde vejo a mesma escuridão;
Quanto mais olho, mais eu compreendo
De quanto é escura aquela escuridão;
E quanto mais o compreendo, mais
Me sinto escuro em o compreender.
Desde que despertei para a consciência
Do abismo da noite que me cerca,
Não mais ri nem chorei, porque passei
Na monstruosidade do sofrer
Muito além da loucura, da que ri

---

69. Outro fragmento sobre o mesmo tema contém estes quatro versos: "Conscientes e agudos cambaleiam,/Mergulham, desvariam, gritam, surgem,/Mas sempre claros, sempre conscientes,/Sempre, em cada parcela desse horror."

E da que chora monstruosamente
Consciente de tudo e da consciência
Que de tudo horrorosamente tenho.
Todas as máscaras que a alma humana
Para si mesma usa, eu arranquei –
A própria dúvida, trementemente,
Arranquei eu de mim, e inda depois
Outra máscara [...]
Mas o que vi então – essa nudez
Da consciência em mim, como relâmpago
Que tivesse uma voz e uma expressão.
Gelou-me para sempre em outro ser [...]
....[70]

.... Só compreendi
Que não há forma de pensar ou crer,
De imaginar, sonhar ou de sentir.
Nem rasgo de [...] loucura
Que ouse pôr a alma humana frente a frente
Com isso que uma vez visto e sentido
Me [mudou], qual ao universo o sol
Falhasse súbito, sem duração
No acabar [...][71]

....

Oh horror! Oh horror! Sinto outra vez
Essa frieza precursora n'alma
Da suprema intuição. Ah, não poder
Fora do ser e do sentir esconder-me!
Ah, não poder gritar, pedir, deixar-me,
Oh, qualquer coisa mais do que uma luz
Vou sentindo que vai breve raiar...

---

70. Foram suprimidos sete versos e o início do oitavo, todos incompletos.

71. Foi suprimido o final deste verso e mais sete incompletos.

....[72]
Morte! Treva! [...] a mim! a mim![73]

XIX

Ah, não poder dormir (eu não sei como,
[Nem] na verdade o quero) eternamente,
Acabar não comigo, nem com isto,
Mas com tudo – causa, efeito, ser...
Ideias [vãs] que a imaginação
Vazia dum momento
Gera sem ilusão, como criança
Embriagando-se indolentemente
Do cheiro transitório duma flor.

XX

Ah, qualquer coisa,[74]
Ou sono ou sonho, sem doer isole
O meu já isolado coração,
Se as palavras que eu diga nunca podem
Levar aos outros mais do que o sentido
Que essas palavras neles têm, e [existe]
[Por] fora do que digo, oculto nele
Como o esqueleto nesta carne minha,
Invisível estrutura do visível
Diferente essencial...

---

72. Foram suprimidos dois versos incompletos.

73. No final deste fragmento, encontra-se: "(Com um grito pavoroso Fausto atira-se/ de encontro à parede, dando com a/ cabeça uma, duas, três vezes até cair/ no chão inanimado.)".

74. Este fragmento tem, no original, a indicação inicial: "Primeiro Fausto – 2º ato (fim)" e uma anotação: "After useless discussion" (Depois de inútil discussão).

Cai sobre mim, apagamento meu!
Querer querer, inútil pedra ao mar!
Saco p'ra colher vento, cesto de água,
Caçador só do uivar dos lobos longe...[75]

XXI

                              Não é o vício
Nem a experiência que desflora a alma,
É só o pensamento. Há inocência
Em Nero mesmo e em Tibério louco
Porque há inconsciência. Só pensar
Desflora até ao íntimo do ser.
Este perpétuo analisar de tudo,
Este buscar de uma nudez suprema
Raciocinada coerentemente
É que tira a inocência verdadeira,
Pela suprema consciência funda
De si, do mundo [...][76]

....

Pensar, pensar e não poder viver!
Pensar, sempre pensar, perenemente.
Sem poder ter mão nele. Ah, eu sorrio
Quando [por] vezes noto o inconsciente
Riso vazio do bandido
Rindo-se da inocência! Se ele soubesse

---

75. O mesmo tema está presente noutro fragmento, datado de 14 de dezembro de 1908: "Sonhos dentro de sonhos,/Involuções do sonhar;/............................/E os corações ficam [tristes]/ Quando se sentem sentir pensar.// Ilusões dentro de ilusões/ Atormentando o descrever;/ Descrenças e crenças são ambas visões;/ É tudo sonhar. São ambas crer."

76. O final deste verso e mais alguns incompletos foram suprimidos.

O que é perder a inocência toda...
....[77]
O tédio! O tédio, quem me dera lê-lo!

XXII

Tudo o que toma forma ou ilusão
De forma, nas palavras, não consegue
Dar-me sequer, cerrado em mim o olhar
Do [pensamento], a ilusão de ser
Uma expressão disso que não se exprime,
Nem por dizer que não se exprime. Vida
Ideia, Essência, Transcendência, Ser,
Tudo quanto de vago e [sombra]
Possa ocorrer ao sonho de pensar,
Inda que fundamente concebido,
Nem pelo horror desse impossível deixa
Transver sombra ou lembrança do que é,

Com que realidade o mundo é sonho!
Com que ironia mais que tudo amarga
Me não confrange, fria e negramente,
Esta inquieta pretensão a ser!

Terceiro tema

A FALÊNCIA DO PRAZER E DO AMOR

I

Beber a vida num trago, e nesse trago
Todas as sensações que a vida dá

---

77. Sete versos incompletos foram suprimidos.

Em todas as suas formas [...]
....[78]
> Dantes eu queria
Embeber-me nas árvores, nas flores,
Sonhar nas rochas, mares, solidões.
Hoje não, fujo dessa ideia louca:
Tudo o que me aproxima do mistério
Confrange-me de horror. Quero hoje apenas
Sensações, muitas, muitas sensações,
De tudo, de todos neste mundo – humanas,
Não outras de delírios panteístas
Mas sim perpétuos choques de prazer
Mudando sempre,
Guardando forte a personalidade
Para sintetizá-las num sentir.
> Quero
Afogar em bulício, em luz, em vozes,
– Tumultuárias [cousas] usuais –
O sentimento da desolação
Que me enche e me avassala.
> Folgaria
De encher num dia, [...] num trago,
A medida dos vícios, inda mesmo
Que fosse condenado eternamente –
Loucura! – ao tal inferno,
A um inferno real.

---

78. Três versos incompletos foram suprimidos.

II

Alegres camponeses, raparigas alegres e ditosas,[79]
Como me amarga n'alma essa alegria!
....[80]

Nem em criança, ser predestinado,
Alegre eu era assim; no meu brincar,
Nas minhas ilusões da infância, eu punha
O mal da minha predestinação.
....[81]

Acabemos com esta vida assim!
Acabemos! o modo pouco importa!
Sofrer mais já não posso. Pois verei –
Eu, Fausto – aqueles que não sentem bem
Toda a extensão da felicidade,
Gozá-la?
....[82]

Ferve a revolta em mim
Contra a causa da vida que me fez
Qual sou. E morrerei e deixarei
Neste mundo isto apenas: uma vida
Só prazer e só gozo, só amor,
Só inconsciência em estéril pensamento
E desprezo [...]

Mas eu como entrarei naquela vida?
Eu não nasci para ela.

---

79. Indicação de cena registrada no original: "Quadro-Fausto perante o povo alegre".
80. Um verso foi suprimido.
81. Três versos foram suprimidos.
82. Três versos foram suprimidos.

III

Melodia vaga[83]
Para ti se eleva
E, chorando, leva
O teu coração,
Já de dor exausto,
E sonhando o afaga.
Os teus olhos, Fausto,
Não mais chorarão.

---

83. O original deste fragmento começa com a rubrica: "Fausto (na taberna)", que se afigura corresponder a um quadro destinado ao I ato; Fausto tentaria conhecer a alegria lançando-se conscientemente numa orgia báquica. Um outro fragmento com a mesma indicação – "Taberna" – começa com um diálogo revelador do espanto que os frequentadores habituais do lugar manifestam ao receber a visita:
"– O Dr. Fausto?
– Sim.
– O Dr. Fausto?
– O Dr. Fausto sou: o que há em sê-lo?"
Um apontamento solto, com a indicação "Ato IV", desenha duas cenas que – de certo modo – deveriam ligar-se à orgia da taberna. Primeira: "Uma cena em que mulheres homens, todos correndo dão ideia – não dos horrores que se estão cometendo, mas de que se estão cometendo horrores de que não pode haver ideia." Segunda: "Finalmente uma cena em que à luz de um grande prédio em chamas se veem entrar, da direita para a esquerda, e [muitos] soldados avançando; a luz reflete-se nas suas lanças e couraças. O prédio desaba com grande ruído. A chama vai morrendo e no anormal crepúsculo noturno sente-se o passo seguido e múltiplo do vasto regimento que se dirige ao encontro dos revoltados.".

IV

Já não tenho alma. Dei-a à luz e ao ruído,[84]
Só sinto um vácuo imenso onde alma tive.
Sou qualquer cousa de exterior apenas,
Consciente apenas de já nada ser...
Pertenço à estúrdia e à crápula da noite
Sou só delas, encontro-me disperso
Por cada grito bêbedo, por cada
Tom da luz no amplo bojo das botelhas.
Participo da névoa luminosa
Da orgia e da mentira do prazer.
E uma febre e um vácuo que há em mim
Confessa-me já morto... Palpo, em torno
Da minha alma, os fragmentos do meu ser
Com o hábito imortal de perscrutar-me.

V

Perdido
No labirinto de mim mesmo, já
Não sei qual o caminho que me leva
Dele à realidade humana e clara
Cheia de luz [...]
Por isso não concebo alegremente
Mas com profunda pensadez em mim
Esta alegria, esta felicidade,
Que odeio e que me fere [...]

....[85]

Sinto como um insulto esta alegria
– Toda a alegria. Quase que sinto
Que rir, é rir – não de mim, mas, talvez,
Do meu ser.[86]

---

84. Um verso suprimido.

85. Foram suprimidos os seis versos finais.

86. Foram suprimidos os seis versos iniciais.

VI

Toda a alegria me gela, me faz ódio.[87]
Toda a tristeza alheia me aborrece,
Absorto eu na minha, maior muito
Que outras [...]
....[88]
Sinto em mim que a minha alma não tolera
Que seja alguém do que ela mais feliz;
O riso insulta-me, por existir;
Que eu sinto que não quero que alguém ria
Enquanto eu não puder. Se acaso tento
Sentir, querer, só quero incoerências
De indefinida aspiração imensa,
Que mesmo no seu sonho é desmedida...[89]

VII

Sua inconsciência alegre é uma ofensa
Para mim. O seu riso esbofeteia-me!
Sua alegria cospe-me na cara!
Oh, com que ódio carnal e espiritual
Me escarro sobre o que na alma humana
Cria festas e danças e cantigas...
....[90]
Com que alegria minha, cairia
Um raio entre eles! Com que pronto
Criaria torturas para eles
Só por rirem a vida em minha cara
E atirarem à minha face pálida
O seu gozo em viver, a poeira – que arda

---

87. Foram suprimidos dois versos.
88. Foram suprimidos os quatro versos finais.
89. Foram suprimidos dois versos.
90. Foi suprimido um verso.

Em meus olhos – dos seus momentos ocos
De infância adulta e tudo na alegria!
....[91]

Ó ódio, alegra-me tu sequer!
Faze-me ver a Morte, roendo a todos,
Põe-me na vista os vermes trabalhando
Aqueles corpos! [...][92]

VIII

Triste horror d'alma, não evoco já
Com grata saudade, tristemente,
Estas recordações da juventude!
Já não sinto saudades, como há pouco
Inda as sentia. Vai-se-me embotando,
Co'a força de pensar, contínuo e árido,
Toda a verdura e flor do pensamento.
Ao recordar agora, apenas sinto,
Como um cansaço só de ter vivido,
Desconsolado e mudo sentimento
De ter deixado atrás parte de mim,
E saudade de não ter saudade,
Saudades dos tempos em que as tinha.
Se a minha infância agora evoco, vejo
– Estranho! – como uma outra criatura

---

91. Foram suprimidos os três versos finais. Outro fragmento, precedido da indicação "3º Fausto", trata o mesmo tema em dois versos: "Sua alegria cospe-me na cara/Pois desde que sorri me exclui da vida". No mesmo manuscrito, embora separado do fragmento anterior, um pequeno poema – anti--Caeiro: "Ah, tudo é símbolo e/ analogia./ O vento que passa, a noite/ que esfria, /São outra coisa que a/ noite e vento – / Sonhos da vida e do / pensamento".

92. Fragmento de uma fala de Fausto, com o título (no manuscrito original) de "Diálogo na Noite".

Que me era amiga, numa vaga
Objetivada subjetividade.
Ora a infância me lembra, como um sonho,
Ora a uma distância sem medida
No tempo, desfazendo-me em espanto;
E a sensação que sinto, ao perceber
Que vou passando, já tem mais de horror
Que tristeza [...]
E nada evoca, a não ser o mistério
Que o tempo tem fechado em sua mão.
Mas a dor é maior!

IX

Ó vestidas razões! Dor que é vergonha[93]
E por vergonha de si-própria cala
A si-mesma o seu nexo! Ó vil e baixa
Porca animalidade do animal,
Que se diz metafísica por medo
A saber-se só baixa...[94]

....

Ó horror metafísico de ti!
Sentido pelo instinto, não na mente!
Vil metafísica do horror da carne,
Medo do amor...

Entre o teu corpo e o meu desejo dele
'Stá o abismo de seres consciente;
Pudesse-te eu amar sem que existisses
E possuir-te sem que ali estivesses!

Ah, que hábito recluso de pensar
Tão desterra o animal que ousar não ouso

---

93. O final deste verso e o seguinte foram suprimidos.
94. Foram suprimidos sete versos.

O que a [besta mais vil] do mundo vil
Obra por maquinismo.

Tanto fechei a chave, aos olhos de outros,
Quanto em mim é instinto, que não sei
Com que gestos ou modos revelar
Um só instinto meu a olhos que olhem...
....[95]
Deus pessoal, deus gente, dos que creem,
Existe, para que eu te possa odiar!
Quero alguém a quem possa a maldição
Lançar da minha vida que morri,
E não o vácuo só da noite muda
Que me não ouve.[96]

X

O horror metafísico de Outrem!
O pavor de uma consciência alheia
Como um deus a espreitar-me!
                              Quem me dera
Ser a única [cousa ou] animal –
Para não ter olhares sobre mim!

XI

                Um corpo humano!
Às vezes eu, olhando o próprio corpo,
Estremecia de terror ao vê-lo
Assim na realidade, tão carnal.[97]

---

95. O final deste verso e mais os dois seguintes foram suprimidos.

96. Por dificuldade de leitura, suprimiram-se aqui os quinze versos restantes. Este fragmento teve a indicação inicial de pertencer ao III ato.

97. Foram suprimidos cinco versos.

XII

　　　　　Sinto horror
À significação que olhos humanos
Contêm...[98]
.... Sinto preciso
Ocultar o meu íntimo aos olhares
E aos perscrutamentos que olhares mostram;
Não quero que ninguém saiba o que sinto,
Além de que o não posso a alguém dizer...[99]

XIII

　　　　　Com que gesto de alma[100]
Dou o passo de mim até à posse
Do corpo de outros, horrorosamente
Vivo, consciente, atento a mim, tão ele
Como eu sou eu.

XIV

Não me concebo amando, nem dizendo
A alguém "eu te amo" – sem que me conceba
Com uma outra alma que não é a minha
Toda a expansão e transfusão de vida
Me horroriza, como a avaro a ideia
De gastar e gastar inutilmente –
Inda que no gastar se [extraia] gozo.

---

98. O final do verso e outros três foram suprimidos, assim como o início do quarto verso.

99. Dois versos suprimidos.

100. Foram suprimidos os dezessete versos iniciais.

XV

            Quando se adoram, vividos,
Dois seres juvenis e naturais
Parece que harmonias se derramam
Como perfumes pela terra em flor.

Mas eu, ao conceber-me amando, sinto
Como que um gargalhar hórrido e fundo
Da existência em mim, como ridículo
E desusado no que é natural.

Nunca, senão pensando no amor,
Me sinto tão longínquo e deslocado,
Tão cheio de ódios contra o meu destino. –
De raivas contra a essência do viver.[101]

XVI

Vendo passar amantes
Nem propriamente inveja ou ódio sinto,
Mas um rancor e uma aversão imensos
Ao universo inteiro, por cobri-los.

XVII

O amor causa-me horror; é abandono,
Intimidade...[102]
...Não sei ser inconsciente
E tenho para tudo [...]
A consciência, o pensamento aberto
Tornando-o impossível.

---

101. Pessoa escreveu antes desta forma: "Sob uma outra alma...".
102. Foram suprimidos cinco versos.

E eu tenho do alto orgulho a timidez
E sinto horror a abrir o ser a alguém,
A confiar nalguém. Horror eu sinto
A que perscrute alguém, ou levemente
Ou não, quaisquer recantos do meu ser.

Abandonar-me em braços nus e belos
(Inda que deles o amor viesse)
No conceber do todo me horroriza;

Seria violar meu ser profundo,
Aproximar-me muito de outros homens.

Uma nudez qualquer – espírito ou corpo –
Horroriza-me: acostumei-me cedo
Nos despimentos do meu ser
A fixar olhos pudicos, conscientes
Do mais. Pensar em dizer "amo-te"
E "amo-te" só – só isto, me angustia...

XVIII

[...] eu mesmo
Sinto esse frio coração em mim
Admirado de ser um coração
Tão frio está.[103]

XIX

Seria doce amar, cingir a mim
Um corpo de mulher, mas frio e grave
E feito em tudo transcendentalmente.
O pensamento agrada-me, e confrange-me
Do terror de ter perto, e [junto]
Em sensação ao meu, um outro corpo.

---

103. Foi suprimido o final deste verso e o início do seguinte.

Gelada mão misteriosa cai
Sobre a imaginação [...]

XX

É isto o amor? Só isto? [...][104]
....
Sinto ânsias, desejos,
Mas não com meu ser todo. Alguma cousa
No íntimo meu, alguma cousa ali
– Fria, pesada, muda – permanece.
[P'ra] isto deixei eu a vida antiga
Que já bem não concebo, parecendo
Vaga já.
Já não sinto a agonia muda e funda
Mas uma, menos funda e dolorosa,
[Bem] mais terrível raiva [...]
De movimentos íntimos, desejos
Que são como rancores.

Um cansaço violento e desmedido
De existir e sentir-me aqui, e um ódio
Nascido disto, vago e horroroso,
A tudo e todos...

XXI

– Amo como o amor ama.[105]
Não sei razão pra amar-te mais que amar-te.

---

104. Foram suprimidos dois versos, o final do último e o seguinte.

105. Este fragmento tem ao alto, no manuscrito original, a indicação: "Primeiro Fausto – Ato Terceiro". É um diálogo entre Fausto e Maria, que encarnar o amor que Fausto procura e não encontra. O fragmento começa com a fala de Maria.

Que queres que te diga mais que te amo,
Se o que quero dizer-te é que te amo?
.... [106]
Quando te falo, dói-me que respondas
Ao que te digo e não ao meu amor.
.... [107]
Ah! não perguntes nada; antes me fala
De tal maneira, que, se eu fora surda,
Te ouvisse todo com o coração.

Se te vejo não sei quem sou: eu amo.
Se me faltas. [...]
...Mas tu fazes, amor, por me faltares
Mesmo estando comigo, pois perguntas –
Quando é amar que deves. Se não amas,
Mostra-te indiferente, ou não me queiras,
Mas tu és como nunca ninguém foi,
Pois procuras o amor pra não amar,
E, se me buscas, é como se eu só fosse
Alguém pra te falar de quem tu amas.
.... [108]
Quando te vi amei-te já muito antes.
Tornei a achar-te quando te encontrei.
Nasci pra ti antes de haver o mundo.
Não há cousa feliz ou hora alegre
Que eu tenha tido pela vida fora,
Que o não fosse porque te previa,
Porque dormias nela tu futuro.
.... [109]
E eu soube-o só depois, quando te vi,
E tive para mim melhor sentido,
E o meu passado foi como uma 'strada

---

106. Um verso suprimido.
107. Sete versos suprimidos.
108. Oito versos suprimidos.
109. Cinco versos suprimidos.

Iluminada peia frente, quando
O carro com lanternas vira a curva
Do caminho e já a noite é toda humana.
....[110]

Quando eu era pequena, sinto que eu
Amava-te já longe, mas de longe...
....[111].

Amor, diz qualquer cousa que eu te sinta!

– Compreendo-te tanto que não sinto,
Oh coração exterior ao meu!
Fatalidade, filha do destino
E das leis que há no fundo deste mundo!
Que és tu a mim que eu compreenda ao ponto
De o sentir...?
....[112]

XXII

Pra que te falar? Ninguém me irmana
Os pensamentos na compreensão.
Sou só por ser supremo, e tudo em mim
É maior.

XXIII

Reza por mim! A mais não me enterneço.
Só por mim mesmo sei enternecer-me,
Sob a ilusão de amar e de sentir
Em que forçadamente me detive.
Reza por mim, por mim! Eis a que chega
A minha tentativa [em] querer amar.

---

110. Nove versos suprimidos.
111. Três versos suprimidos.
112. O último verso foi suprimido.

Quarto tema

O TEMOR DA MORTE

I

Que a morte me desmembre em outro, e eu fique
Ou o nada do nada ou o de tudo
E acabo enfim esta consciência oca
Que de existir me resta.
Sinto um tropel esfuziante e quente
De propósitos-sombras, e de impulsos
Transbordando do cálice da consciência
Para cima da vida...

II

                    ...só um sentimento[113]
De desejar eterna quietação,
Ambição vaga de fechar os olhos
E vaga esp'rança de não mais abri-los.
Ânsia cansada de não mais viver;
Meu cérebro esvaído não lamenta
Nem sabe lamentar. Tumultuárias
Ideias mistas do meu ser antigo
E deste, surgem e desaparecem
Sem deixar rastos à compreensão.
....[114]
Já deslumbradas, vãs, incoerentes,
Amargas, [vagas] desorganizações
Que nem deixam sofrer. Vem pois, oh Morte!
Sinto-te os passos! Sinto-te! O teu seio

---

113. Suprimiram-se doze versos iniciais.
114. Foram suprimidos dois versos.

Deve ser suave e ouvir[115] teu coração
Como uma melodia estranha e vaga
Que enleva até ao sono e passa o sono.
Nada. Já nada [passa] – nada, nada...
Vai-te, Vida!

III

Ah, o horror de morrer!
E encontrar o mistério frente a frente
Sem poder evitá-lo, sem poder...

IV

Gela-me a ideia de que a morte seja
O encontrar o mistério face a face
E conhecê-lo. Por mais mal que seja
A vida e o mistério de a viver
E a ignorância em que a alma vive a vida,
Pior me [relampeja] pela alma
A ideia de que enfim tudo será
Sabido e claro...[116]

....

Pudesse eu ter por certo que na morte
Me acabaria, me faria nada,
E eu avançara para a morte, pávido
Mas firme do seu nada.[117]

---

115. Variante: escutar.
116. Foi suprimido o final do verso e o seguinte.
117. Foram suprimidos cinco versos finais.

V

...gela-me apenas, muda,[118]
A presença da morte que triplica
O sentimento do mistério em mim.

VI

Mistério, vai-te, esmagas-me! Ah, partir[119]
Esta cabeça contra aquele muro
E tombar morto. Mas a morte, a morte,
Ah, como a temo! Para onde fugir?
Na vida nem na morte tenho abrigo.
Maldita seja... Quem? Quem faz o mal,
Este que sinto! Ah, mas já [nem] posso
Amaldiçoar...

VII

Não é o horror à morte, porque raie
Nela o mistério em mim, nem venha nela
Ou o acabar-me ou o continuar-me...
....[120]
Não. Não é na minha alma que os sineiros
Rebatem medos pelo que hei de ser.
É a minha carne que em minha alma grita
Horror à morte, carnalmente o grita,
Grita-o sem consciência e sem propósito,
Grita-o sem outro medo do que o medo.
Um pavor corporado, um pavor frio
Como uma névoa, um pavor de todo eu
Subindo à tona intelectual de mim.

---

118. Foram suprimidos nove versos iniciais e os versos finais.
119. Foram suprimidos os sete versos iniciais e os versos finais.
120. Três versos suprimidos.

VIII

O animal teme a morte porque vive,
O homem também, e porque a desconhece;
Só a mim é dado com horror
Temê-la, por lhe conhecer a inteira
Extensão e mistério, por medir
O [infinito] seu de escuridão.

....[121]

Dor que transcende o verbo e o sentimento
Criando um sentimento para si
Do qual o Horror é apenas a aparência
Pensável e sensível do exterior.

....[122]

Uns têm – e é sofrer – o duvidar:
Há Deus ou não há Deus? Há alma ou não?
Eu não duvido, ignoro. E se o horror
De duvidar é grande, o de ignorar
Não tem nome nem entre os pensamentos.[123]

IX

Medo da morte, não; horror da morte.
Horror por ela ser, pelo que é
E pelo inevitável.

X

...ao condenado
Inda no seu horror lhe luz ao menos
Uma sombra desesperada d'esperança;
Inda o horror que espera não é aquele
Horror da morte – não tem o intenso

---

121. Seis versos suprimidos.

122. Vinte e nove versos suprimidos.

123. Onze versos suprimidos.

Arrastar da inevitabilidade
Que a morte tem. A mim nem esperança
Nem suspeita de sombra de esperança
Ocorre, mas o horror completo e negro.
Isso que lhe aparece qual resgate
É o que eu temo!

XI

Ah, não me ofendas com palavras vãs[124]
O horror do pensamento. Ninguém
Como eu teve este horror. Nem poderá
Nas veias e na alma do seu sangue
Tê-lo tão íntimo [...]
Tão feito um comigo.

....[125]

As figuras do sonho não conhecem
O sonho [...] de que são figuras,
Porque o mundo não só é [já] sonhado
Mas é dentro dum sonho um [sonho] real,
Em que sonhados são os sonhadores
Também.[126]

....

Não poder apagar esta tortura;
Não poder despegar-me deste Ser;
Não poder esquecer-me desta vida...

---

124. Fala de Fausto, num diálogo com o estudante Vicent. O primeiro verso do fragmento é uma frase de Vincent: "Todos, oh morte, têm horror à morte!".

125. Vinte e sete versos suprimidos.

126. Foram suprimidos o final deste verso e os trinta e três seguintes.

XII

Só uma cousa me apavora[127]
A esta hora, a toda a hora;
É que verei a morte frente a frente
        Inevitavelmente.
Ah, este horror como poder dizer!
Não lhe poder fugir. Não podê-lo esquecer.

       E nessa hora em que eu e a Morte
       Nos encontrarmos
O que verei? O que saberei?
Horror! A vida é má e é má a morte
       Mas quisera viver eternamente
Sem saber nunca [...] isso que a morte traz [...]
....[128]

       Que o tempo cesse!
Que pare e fique sempre este momento!
Que eu nunca me aproxime desse
Horror que mata o pensamento!

       Envolvei-me, fechai-me dentro em vós
       E que eu não morra nunca.[129]

---

127. Fragmento datado de 01/03/1909.
128. Foram suprimidos seis versos.
129. Foram suprimidos os dez versos finais.

DOIS DIÁLOGOS[130]

I

FAUSTO:
    – Febre! Febre! Estou trêmulo de febre
    E de delírio [...]
....
    Ancião, não podes tu
    Arranjar-me um remédio para a vida?
    Quero vivê-la sem saber que a vivo
    Como tu vives.
....
    Atordoar-me-á isto a alma toda,
    Toda, até dentro, muito dentro, velho?
VELHO:
    – Não te [entendo], mas se é esquecer
    Que queres, bebe...
FAUSTO:
    – Quero, quero, vamos...
    Esqueçamos-nos. Tens algo de mais forte
    [P'ra] mais do que esquecer? depressa, diz...
VELHO
    – Mal te compreendo, mas não tenho.
....
                      (Fausto bebe sofregamente)
....
                    Estranha e horrível criatura!
    Não é vício
    Nem crime, nem tristeza, nem pavor
    Propriamente pavor, o que obscurece
    Como uma escuridão de dentro d'alma

---

130. Os dois diálogos publicados não estão completos: faltam frases, outras se encontram ilegíveis, outras ainda se vê que haveriam de ser retrabalhadas. As linhas de pontos dizem respeito ao que foi suprimido.

    Toda a vida e expressão de sua face.
    E essas palavras de que usou – "esquecer
    A vida"; "mais do que esquecer"; "em mim
    Acabará então parte de mim" –
    Que significam? Não [o] sei, mas sinto
    Que condizem, secreta e intimamente,
    Com esse íntimo ser que eu não conheço:
    Qualquer que seja essa desgraça, estranho.
    Dorme e ou esquece ou aconteça em ti
    Isso que semelhante ao esquecer
    Desordenadamente me disseste
    [Desejar no teu íntimo...]
    Dorme, e que o filtro opere no silêncio
    Da tua alma obra interior de paz
    E ao descerrares para mim os olhos
    Eu lhes veja a expressão já transmudada
    Para compreensível e humana
    Expressão de um humano sentimento.
    Te adormeça a existência intimamente
    E ao escuro desejo que tu tens,
            (Vai para o levantar mais retrai-se)
    Não; dorme onde caíste [...]

....

FAUSTO:
    – Eu sou outro que os homens, ó ancião,
    O teu filtro de paz e esquecimento
    Não me faz esquecer e só a sombra
    De uma possível paz me entrou na alma.
    Para a paz que eu queria, isto que tenho
    É como archote para a luz do sol.
    Intimamente nada se passou.
    Paralisaste em mim a engrenagem
    Do pensamento e sentimento antigos

....

    Não tornaria, eu sinto-o, a sentir

O que sentia antigamente. Foi-se
Não sei como o interior do meu ser
Com suas intuições, mas não se foi
A memória terrível do horror
Da minha vida antiga [...]
....
.... Não fales mais. Eu vou...
(pondo-se em pé)
Eu vou, não sei aonde... Como [...] treme,
Com que debilidade e sentimento
De estar [mudado] o corpo todo.
Velho. Adeus; quisera ter achado em ti
O que em ti não podia ter achado.
Os teus remédios nada valem. Eu
Deveria ao pedir tê-lo sabido;
Mas... Não tens outro, diz-me... Tu que filtras
[Sonos], não tens venenos mais sutis
Para a existência?
....

VELHO:

– Há um filtro
Diferente daquele que tomaste;
Diverso na intenção com que obra n'alma,
Mas parecido no fazer esquecer.

FAUSTO:
– Como diverso na intenção?

VELHO:

– Em vez
De apagar [extinguir], adormecer.
Faz – com terrível excitar de vida –
Nascer n'alma um conflito de desejos
Um desejo de tudo possuir.
De tudo ser, de tudo ver, amar,
Gozar, odiar, querer e não querer.
Reunir vícios e virtudes – tudo

    Como que na ânsia férvida dum trago
    Da taça do existir.
    ....

FAUSTO:
    – Tu vendes-mo... Ah, não, que eu nada tenho
    Nem sei se tive ou poderia ter.
    Tu dás-mo, velho. Não te servirá
    De nada [...]
    ....
    ....Quem o fez?
    Por que o fez? Onde o tens? Repete mesmo
    O que de seus efeitos me disseste...
    ....
    Que me decida ou não a beber dele,
    Esse filtro [que a ti] de nada serve
    Dá-mo, pois.

VELHO:
                                        – Não to dou,

FAUSTO:
                                        – O filtro, velho.
    Não me [enfureças, vá]; o filtro!

VELHO:
                                        – Não to dou.

FAUSTO:
    – O filtro!

VELHO:
    – Não to posso dar.

FAUSTO:
                                        – O filtro...

VELHO:
    – Para que avanças? Eu que mal te fiz?

FAUSTO:
    – O filtro; dá-me o filtro.

VELHO:
                                        – Mas não posso

FAUSTO:
    – Velho, repara em mim. Há na minh'alma
    Uma ira calma e fria! Foge que ela
    Na ação te mostre o que é.
VELHO:
                                     – Não posso dar-te.
Em verdade to digo, o filtro. Eu
Fiz-te o bem que pude; porque então
Avançando assim calmo para mim
No horror de qualquer [outra] intenção
Te vejo o mesmo sempre. Poupa-me isso
Terrível que há em ti e que não trais
Em movimento ou vaga intimidade
Do olhar... Piedade, piedade...
Piedade, senhor! Eu dou-te o filtro,
Eu dou-te o filtro. Piedade, eu dou...
            (Fausto estrangula-o [...])
            (após matar)
FAUSTO:
    – Nem sinto horror, nem medo, ou dor, ou ânsia,
    Nem qualquer [forma] de estranheza sinto
    Pelo que fiz, por mais que tente querer
    Sentir [...]
    É uma alma morta ante um corpo morto.
    Compreendo bem o que sentir eu devo
    Mas não consigo mesmo imaginar-me
    Sentindo-o [...]
    .... quanto é de horror
    A morte, um ente morto, e o mistério
    Disto tudo. Sim, sinto-lhe o mistério...
    Mas este sentimento de mistério
    Não se me liga a um sentimento
    Que [uma] esse corpo a mim, que fiz
    O que de misterioso está ali.
    Tremo ao sentir quanto é mistério a morte...

....
Procuremos o filtro [...]
....

II

FAUSTO:
– Reza por mim, Maria, e eu sentirei
Uma calma d'amor [...] sobre o meu ser,
Como o luar sobre um lago estagnado...
....
Dize: Fazei feliz a quem eu amo,
....
Cujos olhos não choram por não ter
Na alma já lágrimas para chorar;
Que tendo erguido o seu pensar ao cume
Do humano pensar.... Não, não importa,
Não digas nada, reza e que a tua alma,
Compadecendo-se de mim, encontre
Os termos, as palavras que na prece
Murmurará... Choras? Fiz-te chorar?

MARIA:
– Sim... Não... Eu choro apenas de te ver
Triste [...], sem que eu compreenda
Tua tristeza, meu amor. Vem ela
De alguma dor – oh, dize-me! Partilha
Comigo a tua dor, que eu te darei
O meu carinho, porque te amo tanto...

FAUSTO:
– Tu amas-me, tu amas-me, Maria?

MARIA:
– Ah, tu duvidas? Meu amor, duvidas?
....
.... Se te amo, por que hás de
Tu duvidar de mim? Ah, se palavras
Podem levar a alma nelas, Fausto;

Se o amor, este amor como eu o sinto
Pode dizer-se sem o duvidar;
Se o que eu sinto em minh'alma [se] te vejo,
[Se] sinto o teu pavor, quando penso
Em ti, amor, em ti; se olhares, beijos,
Podem mostrar o amor, todo o amor –
Crê, que as minhas palavras, os meus beijos,
O meu olhar têm esse amor.
....

Eu não sei dizer mais; não aprendi
Como o amor falar, não [...] aprendi
Porque o amor não fala [e] não pode
Dizer-se todo, senão não seria
Amor [...]
....

Mas eu amo-te, Fausto! Ah, como te amo![131]
....

FAUSTO: *(à parte)*

– Aquilo é amor... eu, pois, nunca amarei
....
....Não posso
Fazer erguer em mim um sentimento
Que dê as mãos àquele. E, de o não poder,
Eu mais frio me sinto, mais pesado
N'alma, na minha desconsolação.
Como me sinto falso, falso a mim [...]
Falso à existência, falso à vida, ao amor!
(alto)
Perdoa, amor...
       (à parte)
                Amor! Como me amarga
De vazia em meu ser esta palavra
Como de isso assim ser me encolerizo!
(alto)

---

131. Variante: a) E eu amo-te... Meu Deus, como eu te amo!

Perdoa, meu amor!
Cedo aprendi a duvidar de tudo
Por duvidar e mim, sem o querer,
Sem razão de o querer ou de o pensar

....

.... Mas eu creio em ti, Maria,
Eu creio em ti... Como és bela! Não, não chores
Quero falar ternura e não o sei.[132]

....

---

132. Uma nota manuscrita incompleta, encabeçada com a indicação "Primeiro Fausto – Ato terceiro", esclarece: "A desilusão de Fausto é de três espécies: (1) verifica, no fato de que Maria o ama, em parte sem saber o porquê e em parte por qualidades que lhe supõe e ele não tem, que o amor é cousa que não se pode querer compreender e entre o qual e ele há um abismo profundíssimo; (2) verifica, na sua incapacidade não só de compreender o amor, como até de o sentir, ou, talvez melhor, de se sentir sentindo-o, que esse abismo que existe entre ele e o amor começa por ser um abismo que existe entre ele e ele próprio".

CRONOLOGIA

1888 – Filho de Joaquim de Seabra Pessoa, funcionário e crítico musical, e de Maria Madalena Pinheiro Nogueira, nasce Fernando Antônio Nogueira Pessoa em 13 de junho, no Largo de São Carlos, em Lisboa.

1893 – Nasce o irmão Jorge. O pai, Joaquim Pessoa, morre de tuberculose. A família se instala na casa de Dionísia, avó paterna, louca.

1894 – Morre Jorge. Fernando Pessoa cria seu primeiro heterônimo, "Chevalier de Pas".

1895 – Escreve o seu primeiro poema, infantil, intitulado "À Minha Querida Mamã". A mãe, Madalena Nogueira, casa por procuração com o comandante João Miguel Rosa, cônsul de Portugal em Durban, África do Sul.

1896 – Parte com a mãe e um tio-avô, Cunha, para Durban. Nasce a irmã Henriqueta Madalena. Inicia o curso primário na escola de freiras irlandesas da West Street.

1897 – Faz a primeira comunhão.

1898 – Nasce a outra irmã: Madalena.

1899 – Ingressa na Durban High School e, com louvor, passa, na metade do ano, para o ciclo superior.

1900 – Nasce o irmão Luís Miguel. Admitido no terceiro ano do liceu, obtém o prêmio de Francês e, no final do ano, em dezembro, é admitido no quarto ano.

1901 – Escreve o primeiro poema em inglês: "Separate from thee". Morre a irmã Madalena. Parte com a família para um ano de férias em Portugal.

1902 – Nasce o irmão João. Escreve o primeiro poema conhecido em português: "Quando ela passa...". Como a família regressara antes dele, em setembro, Pessoa volta sozinho para a África do Sul.

1903 – Submete-se ao exame de admissão à Universidade do Cabo. Obtém a melhor nota entre os 899 candidatos no ensaio de estilo inglês, o que lhe vale o Prêmio Rainha Vitória. Cria o "heterônimo" Alexander Search.

1904 – Primeiro texto impresso: ensaio sobre *Macaulay*, na revista do liceu. Termina seus estudos na África do Sul. Nascimento da irmã Maria Clara. Criação do "heterônimo" Charles Robert Anon.

1905 – Retorna a Lisboa, onde passa a viver com uma tia-avó, Maria. Continua a escrever poemas em inglês. Inscreve-se na Faculdade de Letras, mas quase não frequenta o curso.

1906 – A mãe e o padrasto retornam a Lisboa para férias de seis meses, e Pessoa volta a morar com eles. Morre Maria Clara.

1907 – A família retorna mais uma vez a Durban. Pessoa passa a morar com a avó e as tias. Desiste do curso de Letras. Em agosto, a avó morre e lhe deixa uma pequena herança. Com o dinheiro, inaugura a tipografia Íbis.

1908 – Começa a trabalhar como correspondente estrangeiro em escritórios comerciais. Começa a escrever cenas do "Fausto", obra que nunca terminará.

1910 – Escreve poesia e prosa em português, inglês e francês.

1911 – Escreve "Análise", iniciando o lirismo tipicamente pessoano.

1912 – Conhece Mário de Sá-Carneiro, de quem se tornará grande amigo. Pessoa estreia publicando artigos em *A Águia*, provocando polêmicas junto à intelectualidade portuguesa. Passa a viver com a tia Anica.

1913 – Escreve os primeiros poemas esotéricos; escreve "Impressões do Crepúsculo" (poema paulista); "Epithalamium" (primeiro poema erótico, em inglês); "Gládio" (que depois usará na *Mensagem);* "O Marinheiro" (em 48 horas). Publica, em *A Águia,* "Floresta do Alheamento", apresentado como fragmento do *Livro do desassossego.*

1914 – Primeiras publicações, como poeta, na *Revista Renascença:* "Impressões do crepúsculo" e "Ó sino da minha aldeia". Cria os heterônimos Álvaro de Campos, Ricardo Reis e Alberto Caeiro. Escreve os poemas de *O guardador de rebanhos,* "Chuva oblíqua", odes de Ricardo Reis e a "Ode Triunfal" de Campos.

1915 – Lança os dois primeiros números de *Orpheu,* que provocam escândalo. Crise no grupo do Orpheu: Álvaro de Campos ataca Afonso Costa.

1916 – Pessoa fica deprimido com o suicídio de Mário de Sá-Carneiro. Publicação em revista da série de sonetos esotéricos *Passos da Cruz.*

1917 – Publicação do "Ultimatum", de Campos, na revista *Portugal Futurista.*

1918 – Pessoa publica dois livrinhos de poemas em inglês, resenhados com destaque na *Times.*

1919 – Morre o comandante Rosa.

1920 – Conhece Ophélia Queiroz, a quem passa a namorar. Sua mãe e seus irmãos voltam para Portugal. Em outubro, atravessa uma grande depressão, que o leva a pensar em internar-se numa casa de saúde. Rompe com Ophélia.

1921 – Funda a editora Olisipo, onde publica poemas em inglês.

1922 – Publica *Mar português,* com poemas que serão retomados na *Mensagem.*

1924 – Publica, na revista *Atena,* vários poemas de Campos.

1925 – Publica, na *Atena,* poemas de Alberto Caeiro. Decide parar a publicação da revista. Morre, em Lisboa, a mãe do poeta, em 17 de março. Seu estado psíquico o inquieta, escreve a um amigo, manifestando desejo de ser hospitalizado.

1926 – Cria, com o cunhado, a *Revista de Comércio e Contabilidade.*

1927 – A revista *Presença* reconhece Pessoa como mestre da nova geração de poetas. Publica, na revista, um poema seu, um do Álvaro de Campos e odes de Ricardo Reis.

1928 – Campos escreve "Tabacaria". Pessoa escreve poemas que integrarão *Mensagem*.

1929 – Publica fragmentos do *Livro do desassossego*, creditando-os a Bernardo Soares. Volta a se relacionar com Ophélia.

1930 – Rompe com Ophélia. Encontra o "mago" Aleister Crowley.

1931 – Escreve "Autopsicografia". Publica fragmentos do *Livro do desassossego*.

1932 – Continua publicando fragmentos do *Livro do desassossego*.

1933 – Publica "Tabacaria" e escreve o poema esotérico "Eros e Psique".

1934 – Finaliza *Portugal,* que, depois será chamado de *Mensagem*. Candidata-se ao Prêmio Antero de Quental. Escreve mais de trezentas quadras populares. Recebe o segundo lugar no concurso. Publica *Mensagem*.

1935 – Escreve a famosa carta a Adolfo Casais Monteiro, em que explica a gênese dos heterônimos. Redige sua nota biográfica, na qual se diz "conservador antirreacionário", "cristão gnóstico" e membro da Ordem dos Templários. Em 29 de novembro, é internado com o diagnóstico de cólica hepática. A sua última frase, escrita em inglês, diz: "*I know not what tomorrow will bring*". Morre no dia 30, às 20h30.

Índice de Títulos e Primeiros Versos

A 'sperança, como um fósforo inda aceso, ... 62
A água da chuva desce a ladeira. 55
A aranha do meu destino 127
A ciência, a ciência, a ciência 166
A criança que fui chora na estrada. 211
A criança que ri na rua, ... 167
A estrada, como uma senhora. 95
A lâmpada nova 161
A lavadeira no tanque 208
A lembrada canção 25
A Lua (dizem os ingleses) 119
A mão posta sobre a mesa, ... 173
A minha camisa rota 146
A miséria do meu ser, ... 210
A montanha por achar 166
À noite 185
A novela inacabada, ... 145
A nuvem veio e o sol parou. 224
A pálida luz da manhã de inverno, ... 62
A parte do indolente é a abstrata vida. 35
A tua carne calma 80
A tua voz fala amorosa... 63
Ah quanta melancolia! 43
Ah quero as relvas e as crianças! 162
Ah sentir tudo de todos 93
Ah, a esta alma que não arde 81
Ah, como incerta, na noite em frente, ... 129
Ah, como o sono é a verdade, e a única 238
Ah, já está tudo lido. 37
Ah, sempre no curso leve do tempo pesado 30
Ah, só eu sei 127
Ah, toca suavemente 37
Ah, verdadeiramente a deusa! – 164
Alga 182

Amiel	46
Andavam de noite aos segredos	104
Aquele peso em mim – meu coração.	127
Aqui está-se sossegado,	65
Aqui neste profundo apartamento	44
Aquilo que a gente lembra	238
Árvore verde,	77
As coisas que errei na vida	221
As lentas nuvens fazem sono,	119
As nuvens são sombrias	112
Às vezes, em sonho triste	176
Basta pensar em sentir	124
Bem sei que estou endoidecendo.	226
Bem sei que há ilhas lá ao sul de tudo	227
Bem sei que todas as mágoas	228
Bem, hoje que estou só e posso ver	114
Boiam farrapos de sombra	217
Brincava a criança	53
Cai amplo o frio e eu durmo na tardança	195
Cai chuva do céu cinzento	103
Cai chuva. É noite. Uma pequena brisa	29
Caminho a teu lado mudo	60
Cansa ser, sentir dói, pensar destrui.	31
Cansado até dos deuses que não são	28
Canta onde nada existe	147
Canto a Leopardi	159
Ceifeira	121
Cheguei à janela,	106
Chove. Que fiz eu da vida?	117
Clareia cinzenta a noite de chuva,	118
Começa, no ar da antemanhã,	165
Como às vezes num dia azul e manso	47
Como é por dentro outra pessoa	160
Como nuvens pelo céu	124
Como um vento na floresta.	99
Criança, era outro...	170
Dai-me rosas e lírios,	242
De além das montanhas,	206
De aqui a pouco acaba o dia.	96

Deixa-me ouvir o que não ouço...	79
Deixei atrás os erros do que fui,	163
Deixei de ser aquele que esperava,	144
Deixem-me o sono! Sei que é já manhã.	163
Deixo ao cego e ao surdo	88
Dentro em meu coração faz dor.	181
Depois que o som da terra, que é não tê-lo,	132
Depois que todos foram	76
Desce a névoa da montanha,	235
Desfaze a mala feita pra a partida!	113
Deslembro incertamente. Meu passado	225
Desperto sempre antes que raie o dia	118
Deus não tem unidade,	88
Deus	179
Deve chamar-se tristeza	83
Divido o que conheço.	225
Do fundo do fim do mundo	158
Do meio da rua	101
Do seu longínquo reino cor-de-rosa	137
Dói-me quem sou. E em meio da emoção	75
Dois diálogos	322
Dolora	175
Dorme, criança, dorme,	150
Dormi, sonhei. No informe labirinto	240
Dormi. Sonhei. No informe labirinto	191
Dormir! Não ter desejos nem 'speranças	42
(Dream)	212
Durmo ou não? Passam juntas em minha alma	214
Durmo, cheio de nada, e amanhã	147
Durmo. Regresso ou espero?	52
E a extensa e vária natureza é triste	62
É boa! Se fossem malmequeres!	97
É inda quente o fim do dia...	58
E ou jazigo haja	92
E toda a noite a chuva veio	120
É um campo verde e vasto,	142
É uma brisa leve	35
E, ó vento vago	59
Eh, como outrora era outra a que eu não tinha!	133

Eis-me em mim absorto	178
Elegia na sombra	229
Em outro mundo, onde a vontade é lei.	131
Em plena vida e violência	110
Em torno a mim, em maré cheia,	48
Em torno ao candeeiro desolado	58
Enfia a agulha,	97
Entre o luar e o arvoredo,	88
Entre o sossego e o arvoredo,	137
Epitáfio desconhecido	70
Era isso mesmo –	168
Eram varões todos,	156
Estado de alma	177
Eu amo tudo o que foi,	106
Eu me resigno. Há no alto da montanha	146
Eu tenho ideias e razões.	121
Eu	41
Exígua lâmpada tranquila,	170
Falhei. Os astros seguem seu caminho.	143
Fito-me frente a frente	109
Fito-me frente a frente.	81
Flor que não dura	44
Flui, indeciso na bruma,	154
Glosa	70
Glosas	45
Gnomos do luar que faz selvas	92
Gostara, realmente,	87
Gradual, desde que o calor	98
Grande sol a entreter	86
Guardo ainda, como um pasmo	198
Há em tudo que fazemos	209
Há luz no tojo e no brejo	53
Há música. Tenho sono.	55
Há quanto tempo não canto	74
Há um frio e um vácuo no ar.	120
Há um grande som no arvoredo.	103
Há um murmúrio na floresta,	106
Há uma música do povo,	61
Hoje 'stou triste, 'stou triste.	55

Hoje, neste ócio incerto	38
Incidente	115
Já estou tranquilo. Já não espero nada.	234
Já me não pesa tanto o vir da morte.	220
Já não me importo	235
Já não vivi em vão	50
Já ouvi doze vezes dar a hora	107
L'homme	184
Lá fora onde árvores são	130
Ladram uns cães a distância,	141
Lâmpada deserta,	128
Lembro-me bem do seu olhar.	243
Lembro-me ou não? Ou sonhei?	123
Leve no cimo das ervas	102
Leves véus velam, nuvens vãs, a lua.	142
Ligeia	45
Longe de mim em mim existo	26
Mais triste do que o que acontece	73
Maravilha-te, memória!	86
Mas eu, alheio sempre, sempre entrando	68
Mas o hóspede inconvidado	68
Melodia triste sem pranto,	87
Mendigo do que não conhece.	43
Meu coração esteve sempre	55
Meu coração tardou. Meu coração	209
Meu pensamento, dito, já não é	241
Meu ruído de alma cala.	92
Meu ser vive na Noite e no Desejo.	25
Meus dias passam, minha fé também.	44
Meus gestos não sou eu.	180
Meus versos são meu sonho dado.	79
Minha mulher, a solidão,	93
Minhas mesmas emoções	132
Música... Que sei eu de mim?	173
Na margem verde da estrada	94
Na noite em que não durmo	203
Na noite que me desconhece	72
Na orla do vento movem	194
Na paz da noite, cheia de tanto durar,	170

Na véspera de nada 168
Nada que sou me interessa. 130
Nada. Passaram nuvens e eu fiquei... 145
Não combati: ninguém mo mereceu. 240
Não digas nada! Que hás me de dizer?.. 157
Não digas nada!.. 164
Não digas que, sepulto, já não sente 199
Não fiz nada, bem sei, nem o farei,... 115
Não haver deus é um deus também. 48
Não quero ir onde não há luz, ... 138
Não quero mais que um som de água.. 83
Não quero rosas, desde que haja rosas. 228
Não sei o quê desgosta 178
Não sei quantas almas tenho. 191
Não sei ser triste a valer 110
Não tenho que sonhar que possam dar-me 169
Não tenho quinta nenhuma. 197
Não tragas flores, que eu sofro... 36
Não venhas sentar-te à minha frente, nem a meu lado; 51
Não, não é nesse lago entre rochedos, ... 121
Nas entressombras de arvoredo 45
Nas grandes horas em que a insônia avulta.............................. 190
Náusea. Vontade de nada. 148
Nesta grande oscilação... 154
Nesta vida, em que sou meu sono.. 139
No alto da tua sombra, a prumo sobre 185
No céu da noite que começa 114
No chão do céu o Sol que acaba arde. 195
No fim da chuva e do vento 59
No fundo do pensamento.. 197
No limiar que não é meu 188
No meu sonho estiolaram 128
Nos jardins municipais 125
Nova ilusão 175
O abismo é o muro que tenho 71
O amor é que é essencial. 174
O amor, quando se revela,.. 57
O céu de todos os invernos.. 67
O contrassímbolo... 48

Ó curva do horizonte, quem te passa,	189
Ó curva do horizonte, quem te passa,	33
Ó ervas frescas que cobris	73
O grande sol na eira	85
O louco	60
O marinheiro	251
O mau aroma alacre	108
O meu coração quebrou-se	59
O meu sentimento é cinza	234
O meu tédio não dorme.	182
O mundo rui a meu redor, escombro a escombro.	183
O peso de haver o mundo	123
O ponteiro dos segundos	131
O que é vida e o que é morte	151
O que eu fui o que é?	54
O que o seu jeito revela	125
O rio que passa dura	91
O ruído vário da rua	105
O sol dourava-te a cabeça loura.	127
O sol que doura as neves afastadas	162
O sol queima o que toca.	87
O som contínuo da chuva	168
O som do relógio	69
O sonho que se opôs a que eu vivesse	56
Ó sorte de olhar mesquinho	75
O vento sopra lá fora.	149
O vento tem variedade	107
O véu das lágrimas não cega.	236
Oca de conter-me	181
Olha-me rindo uma criança	90
Olhando o mar, sonho sem ter de quê.	201
Onde o sossego dorme	215
Onde quer que o arado o seu traço consiga	162
Onde, em jardins exaustos	170
Os deuses são felizes.	29
Os deuses, não os reis, são os tiranos.	36
Oscila o incensório antigo	134
Ouço passar o vento na noite.	41
Ouço sem ver, e assim, entre o arvoredo,	135

Outros terão	27
Ouvi os sábios todos discutir,	237
Paisagens, quero-as comigo.	108
Pálida sombra esvoaça	122
Pálida, a Lua permanece	150
Parece às vezes que desperto	104
Parece estar calor, mas nasce	98
Parece que estou sossegando	65
Passa entre as sombras de arvoredo	193
Passam na rua os cortejos	192
Passava eu na estrada pensando impreciso,	56
Pela rua já serena	68
Pelo plaino sem caminho	51
Poemas dos dois exílios	38
Pois cai um grande e calmo efeito	85
Por que esqueci quem fui quando criança?	135
Por que, ó Sagrado, sobre a minha vida	125
Por quem foi que me trocaram	101
Porque sou tão triste ignoro	124
Porque vivo, quem sou, o que sou, quem me leva?	184
Pousa um momento,	25
Presságio	50
Primeiro fausto	270
Primeiro tema – O mistério do mundo	270
Pudesse eu como o luar	27
Qual é a tarde por achar	64
Qualquer caminho leva a toda parte,	32
Quando é que o cativeiro	196
Quando era jovem, eu a mim dizia:	34
Quando estou só reconheço	200
Quando fui peregrino	99
Quando já nada nos resta	126
Quando nas pausas solenes	95
Quando, com razão ou sem,	202
Quanto fui jaz. Quanto serei não sou.	201
Quarto tema – O temor da morte	316
Quase anônima sorris	134
Que suave é o ar! Como parece	136
Quem me amarrou a ser eu	220

Quem me roubou quem nunca fui e a vida? 84
Quem vende a verdade, e a que esquina?............................... 71
Quero dormir. Não sei se quero a morte, ... 221
Quero ser livre insincero 90
Quero, terei – 142
Rala cai chuva. O ar não é escuro. A hora 133
Relógio, morre – 71
Renego, lápis partido, ... 153
Sá Carneiro 171
Sabes quem sou? Eu não sei. 152
Sangra-me o coração. Tudo que penso.............................. 218
Saudade eterna, que pouco duras! 48
Scheherazad... 183
Se acaso, alheado até do que sonhei,.................................. 214
Se alguém bater um dia à tua porta. 222
Se estou só, quero não 'star, ... 113
Se eu me sentir sono, ... 153
Se eu pudesse não ter o ser que tenho 82
Se há arte ou ciência para ler a sina.................................. 226
Se penso mais que um momento 199
Se sou alegre ou sou triste?.. 84
Se tudo o que há é mentira. 102
Segundo tema – O horror de conhecer............................. 287
Sei bem que não consigo 82
Sei que nunca terei o que procuro 50
Sepulto vive quem é a outrem dado. 35
Ser consciente é talvez um esquecimento........................... 135
Servo sem dor de um desolado intuito,.............................. 215
Sim, está tudo certo. 229
Sim, farei...; e hora a hora passa o dia.............................. 204
Sim, já sei... 167
Sim, tudo é certo logo que o não seja 63
Sim, vem um canto na noite. 223
Sob olhos que não olham – os meus olhos – 169
Sonhei, confuso, e o sono foi disperso,.............................. 213
Sonhei. Desperto. Um tédio doloroso 195
Sonho sem fim nem fundo. 155
Sono.. 244
Sopra o vento, sopra o vento.. 149

Sou o Espírito da treva,	239
Sou o fantasma de um rei	179
Sou um evadido.	112
Talhei, artífice de um morto rito,	208
Talvez que seja a brisa	81
Tão linda e finda a memoro!	120
Tão vago é o vento que parece	96
Tédio	178
Tenho em mim como uma bruma	158
Tenho escrito muitos versos,	152
Tenho esperança? Não tenho.	148
Tenho pena até... nem sei...	69
Tenho pena e não respondo.	192
Tenho principalmente não ter nada,	122
Tenho sono em pleno dia.	111
Terceiro tema – A falência do prazer e do amor	301
Teu corpo real que dorme	80
Teu inútil dever	165
Teu perfil, teu olhar real ou feito,	160
Todas as cousas que há neste mundo	206
Tornar-te-ás só quem tu sempre foste.	31
Tudo foi dito antes que se dissesse.	203
Tudo quanto penso,	174
Tudo quanto sonhei tenho perdido	27
Tudo que amei, se é que o amei, ignoro,	223
Tudo que sinto, tudo quanto penso,	219
Tudo que sou não é mais do que abismo	217
Tudo, menos o tédio, me faz tédio.	224
Um cansaço feliz, uma tristeza informe	240
Um dia baço mas não frio...	174
Uma maior solidão	116
Uma névoa de outono o ar raro vela,	136
Universal lamento	49
...Vaga história comezinha	58
Vaga saudade, tanto	161
Vai alta a nuvem que passa,	144
Vai lá longe, na floresta,	150
Vai leve a sombra	76
Vai pela estrada que na colina	140

Vão breves passando 109
Vão na onda militar 210
Vejo passar os barcos pelo mar, ... 139
Vê-la faz pena de 'sperança, ... 116
Velo, na noite em mim, ... 52
Vem dos lados da montanha 117
Vendaval 186
Vento que passas 34
Verdadeiramente 151
Vi passar, num mistério concedido, ... 140
Vinha elegante, depressa, ... 129
Vou com um passo como de ir parar 64
Vou em mim como entre bosques, ... 78

Coleção L&PM POCKET (Lançamentos mais recentes)

579. **O príncipe e o mendigo** – Mark Twain
580. **Garfield, um charme de gato (7)** – Jim Davis
581. **Ilusões perdidas** – Balzac
582. **Esplendores e misérias das cortesãs** – Balzac
583. **Walter Ego** – Angeli
584. **Striptiras (1)** – Laerte
585. **Fagundes: um puxa-saco de mão cheia** – Laerte
586. **Depois do último trem** – Josué Guimarães
587. **Ricardo III** – Shakespeare
588. **Dona Anja** – Josué Guimarães
589. **24 horas na vida de uma mulher** – Stefan Zweig
590. **Mulher no escuro** – Dashiell Hammett
591. **Mulher no escuro** – Dashiell Hammett
592. **No que acredito** – Bertrand Russell
593. **Odisseia (1): Telemaquia** – Homero
594. **O cavalo cego** – Josué Guimarães
595. **Henrique V** – Shakespeare
596. **Fabulário geral do delírio cotidiano** – Bukowski
597. **Tiros na noite 1: A mulher do bandido** – Dashiell Hammett
598. **Snoopy em Feliz Dia dos Namorados! (2)** – Schulz
600. **Crime e castigo** – Dostoiévski
601. **Mistério no Caribe** – Agatha Christie
602. **Odisseia (2): Regresso** – Homero
603. **Piadas para sempre (2)** – Visconde da Casa Verde
604. **À sombra do vulcão** – Malcolm Lowry
605. (8). **Kerouac** – Yves Buin
606. **E agora são cinzas** – Angeli
607. **As mil e uma noites** – Paulo Caruso
608. **Um assassino entre nós** – Ruth Rendell
609. **Crack-up** – F. Scott Fitzgerald
610. **Do amor** – Stendhal
611. **Cartas do Yage** – William Burroughs e Allen Ginsberg
612. **Striptiras (2)** – Laerte
613. **Henry & June** – Anaïs Nin
614. **A piscina mortal** – Ross Macdonald
615. **Geraldão (2)** – Glauco
616. **Tempo de delicadeza** – A. R. de Sant'Anna
617. **Tiros na noite 2: Medo de tiro** – Dashiell Hammett
618. **Snoopy em Assim é a vida, Charlie Brown! (3)** – Schulz
619. **1954 – Um tiro no coração** – Hélio Silva
620. **Sobre a inspiração poética (Íon) e ...** – Platão
621. **Garfield e seus amigos (8)** – Jim Davis
622. **Odisseia (3): Ítaca** – Homero
623. **A louca matança** – Chester Himes
624. **Factótum** – Bukowski
625. **Guerra e Paz: volume 1** – Tolstói
626. **Guerra e Paz: volume 2** – Tolstói
627. **Guerra e Paz: volume 3** – Tolstói
628. **Guerra e Paz: volume 4** – Tolstói
629. (9). **Shakespeare** – Claude Mourthé
630. **Bem está o que bem acaba** – Shakespeare
631. **O contrato social** – Rousseau
632. **Geração Beat** – Jack Kerouac
633. **Snoopy: É Natal! (4)** – Charles Schulz
634. **Testemunha da acusação** – Agatha Christie
635. **Um elefante no caos** – Millôr Fernandes
636. **Guia de leitura (100 autores que você precisa ler)** – Organização de Léa Masina
637. **Pistoleiros também mandam flores** – David Coimbra
638. **O prazer das palavras – vol. 1** – Cláudio Moreno
639. **O prazer das palavras – vol. 2** – Cláudio Moreno
640. **Novíssimo testamento: com Deus e o diabo, a dupla da criação** – Iotti
641. **Literatura Brasileira: modos de usar** – Luís Augusto Fischer
642. **Dicionário de Porto-Alegrês** – Luís A. Fischer
643. **Clô Dias & Noites** – Sérgio Jockymann
644. **Memorial de Isla Negra** – Pablo Neruda
645. **Um homem extraordinário e outras histórias** – Tchékhov
646. **Ana sem terra** – Alcy Cheuiche
647. **Adultérios** – Woody Allen
651. **Snoopy: Posso fazer uma pergunta, professora? (5)** – Charles Schulz
652. (10). **Luís XVI** – Bernard Vincent
653. **O mercador de Veneza** – Shakespeare
654. **Cancioneiro** – Fernando Pessoa
655. **Non-Stop** – Martha Medeiros
656. **Carpinteiros, levantem bem alto a cumeeira & Seymour, uma apresentação** – J.D. Salinger
657. **Ensaios céticos** – Bertrand Russell
658. **O melhor de Hagar 5** – Dik e Chris Browne
659. **Primeiro amor** – Ivan Turguêniev
660. **A trégua** – Mario Benedetti
661. **Um parque de diversões da cabeça** – Lawrence Ferlinghetti
662. **Aprendendo a viver** – Sêneca
663. **Garfield, um gato em apuros (9)** – Jim Davis
664. **Dilbert (1)** – Scott Adams
666. **A imaginação** – Jean-Paul Sartre
667. **O ladrão e os cães** – Naguib Mahfuz
669. **A volta do parafuso** *seguido de* **Daisy Miller** – Henry James
670. **Notas do subsolo** – Dostoiévski
671. **Abobrinhas da Brasilônia** – Glauco
672. **Geraldão (3)** – Glauco
673. **Piadas para sempre (3)** – Visconde da Casa Verde
674. **Duas viagens ao Brasil** – Hans Staden
676. **A arte da guerra** – Maquiavel
677. **Além do bem e do mal** – Nietzsche
678. **O coronel Chabert** *seguido de* **A mulher abandonada** – Balzac
679. **O sorriso de marfim** – Ross Macdonald

680. **100 receitas de pescados** – Sílvio Lancellotti
681. **O juiz e seu carrasco** – Friedrich Dürrenmatt
682. **Noites brancas** – Dostoiévski
683. **Quadras ao gosto popular** – Fernando Pessoa
685. **Kaos** – Millôr Fernandes
686. **A pele de onagro** – Balzac
687. **As ligações perigosas** – Choderlos de Laclos
689. **Os Lusíadas** – Luís Vaz de Camões
690(11). **Átila** – Éric Deschodt
691. **Um jeito tranquilo de matar** – Chester Himes
692. **A felicidade conjugal** *seguido de* **O diabo** – Tolstói
693. **Viagem de um naturalista ao redor do mundo** – vol. 1 – Charles Darwin
694. **Viagem de um naturalista ao redor do mundo** – vol. 2 – Charles Darwin
695. **Memórias da casa dos mortos** – Dostoiévski
696. **A Celestina** – Fernando de Rojas
697. **Snoopy: Como você é azarado, Charlie Brown! (6)** – Charles Schulz
698. **Dez (quase) amores** – Claudia Tajes
699. **Poirot sempre espera** – Agatha Christie
701. **Apologia de Sócrates** *precedido de* **Êutifron e** *seguido de* **Críton** – Platão
702. **Wood & Stock** – Angeli
703. **Striptiras (3)** – Laerte
704. **Discurso sobre a origem e os fundamentos da desigualdade entre os homens** – Rousseau
705. **Os duelistas** – Joseph Conrad
706. **Dilbert (2)** – Scott Adams
707. **Viver e escrever** (vol. 1) – Edla van Steen
708. **Viver e escrever** (vol. 2) – Edla van Steen
709. **Viver e escrever** (vol. 3) – Edla van Steen
710. **A teia da aranha** – Agatha Christie
711. **O banquete** – Platão
712. **Os belos e malditos** – F. Scott Fitzgerald
713. **Libelo contra a arte moderna** – Salvador Dalí
714. **Akropolis** – Valerio Massimo Manfredi
715. **Devoradores de mortos** – Michael Crichton
716. **Sob o sol da Toscana** – Frances Mayes
717. **Batom na cueca** – Nani
718. **Vida dura** – Claudia Tajes
719. **Carne trêmula** – Ruth Rendell
720. **Cris, a fera** – David Coimbra
721. **O anticristo** – Nietzsche
722. **Como um romance** – Daniel Pennac
723. **Emboscada no Forte Bragg** – Tom Wolfe
724. **Assédio sexual** – Michael Crichton
725. **O espírito do Zen** – Alan W. Watts
726. **Um bonde chamado desejo** – Tennessee Williams
727. **Como gostais** *seguido de* **Conto de inverno** – Shakespeare
728. **Tratado sobre a tolerância** – Voltaire
729. **Snoopy: Doces ou travessuras? (7)** – Charles Schulz
730. **Cardápios do Anonymus Gourmet** – J.A. Pinheiro Machado
731. **100 receitas com lata** – J.A. Pinheiro Machado
732. **Conhece o Mário?** vol.2 – Santiago
733. **Dilbert (3)** – Scott Adams
734. **História de um louco amor** *seguido de* **Passado amor** – Horacio Quiroga
735(11). **Sexo: muito prazer** – Laura Meyer da Silva
736(12). **Para entender o adolescente** – Dr. Ronald Pagnoncelli
737(13). **Desembarcando a tristeza** – Dr. Fernando Lucchese
738. **Poirot e o mistério da arca espanhola & outras histórias** – Agatha Christie
739. **A última legião** – Valerio Massimo Manfredi
741. **Sol nascente** – Michael Crichton
742. **Duzentos ladrões** – Dalton Trevisan
743. **Os devaneios do caminhante solitário** – Rousseau
744. **Garfield, o rei da preguiça (10)** – Jim Davis
745. **Os magnatas** – Charles R. Morris
746. **Pulp** – Charles Bukowski
747. **Enquanto agonizo** – William Faulkner
748. **Aline: viciada em sexo (3)** – Adão Iturrusgarai
749. **A dama do cachorrinho** – Anton Tchékhov
750. **Tito Andrônico** – Shakespeare
751. **Antologia poética** – Anna Akhmátova
752. **O melhor de Hagar 6** – Dik e Chris Browne
753(12). **Michelangelo** – Nadine Sautel
754. **Dilbert (4)** – Scott Adams
755. **O jardim das cerejeiras** *seguido de* **Tio Vânia** – Tchékhov
756. **Geração Beat** – Claudio Willer
757. **Santos Dumont** – Alcy Cheuiche
758. **Budismo** – Claude B. Levenson
759. **Cleópatra** – Christian-Georges Schwentzel
760. **Revolução Francesa** – Frédéric Bluche, Stéphane Rials e Jean Tulard
761. **A crise de 1929** – Bernard Gazier
762. **Sigmund Freud** – Edson Sousa e Paulo Endo
763. **Império Romano** – Patrick Le Roux
764. **Cruzadas** – Cécile Morrisson
765. **O mistério do Trem Azul** – Agatha Christie
768. **Senso comum** – Thomas Paine
769. **O parque dos dinossauros** – Michael Crichton
770. **Trilogia da paixão** – Goethe
773. **Snoopy: No mundo da lua! (8)** – Charles Schulz
774. **Os Quatro Grandes** – Agatha Christie
775. **Um brinde de cianureto** – Agatha Christie
776. **Súplicas atendidas** – Truman Capote
779. **A viúva imortal** – Millôr Fernandes
780. **Cabala** – Roland Goetschel
781. **Capitalismo** – Claude Jessua
782. **Mitologia grega** – Pierre Grimal
783. **Economia: 100 palavras-chave** – Jean-Paul Betbèze
784. **Marxismo** – Henri Lefebvre
785. **Punição para a inocência** – Agatha Christie
786. **A extravagância do morto** – Agatha Christie
787(13). **Cézanne** – Bernard Fauconnier
788. **A identidade Bourne** – Robert Ludlum
789. **Da tranquilidade da alma** – Sêneca
790. **Um artista da fome** *seguido de* **Na colônia penal e outras histórias** – Kafka

791. **Histórias de fantasmas** – Charles Dickens
796. **O Uraguai** – Basílio da Gama
797. **A mão misteriosa** – Agatha Christie
798. **Testemunha ocular do crime** – Agatha Christie
799. **Crepúsculo dos ídolos** – Friedrich Nietzsche
802. **O grande golpe** – Dashiell Hammett
803. **Humor barra pesada** – Nani
804. **Vinho** – Jean-François Gautier
805. **Egito Antigo** – Sophie Desplancques
806(14). **Baudelaire** – Jean-Baptiste Baronian
807. **Caminho da sabedoria, caminho da paz** – Dalai Lama e Felizitas von Schönborn
808. **Senhor e servo e outras histórias** – Tolstói
809. **Os cadernos de Malte Laurids Brigge** – Rilke
810. **Dilbert (5)** – Scott Adams
811. **Big Sur** – Jack Kerouac
812. **Seguindo a correnteza** – Agatha Christie
813. **O álibi** – Sandra Brown
814. **Montanha-russa** – Martha Medeiros
815. **Coisas da vida** – Martha Medeiros
816. **A cantada infalível** seguido de **A mulher do centroavante** – David Coimbra
819. **Snoopy: Pausa para a soneca (9)** – Charles Schulz
820. **De pernas pro ar** – Eduardo Galeano
821. **Tragédias gregas** – Pascal Thiercy
822. **Existencialismo** – Jacques Colette
823. **Nietzsche** – Jean Granier
824. **Amar ou depender?** – Walter Riso
825. **Darmapada: A doutrina budista em versos**
826. **J'Accuse...!** – **a verdade em marcha** – Zola
827. **Os crimes ABC** – Agatha Christie
828. **Um gato entre os pombos** – Agatha Christie
831. **Dicionário de teatro** – Luiz Paulo Vasconcellos
832. **Cartas extraviadas** – Martha Medeiros
833. **A longa viagem de prazer** – J. J. Morosoli
834. **Receitas fáceis** – J. A. Pinheiro Machado
835.(14). **Mais fatos & mitos** – Dr. Fernando Lucchese
836.(15). **Boa viagem!** – Dr. Fernando Lucchese
837. **Aline: Finalmente nua!!! (4)** – Adão Iturrusgarai
838. **Mônica tem uma novidade!** – Mauricio de Sousa
839. **Cebolinha em apuros!** – Mauricio de Sousa
840. **Sócios no crime** – Agatha Christie
841. **Bocas do tempo** – Eduardo Galeano
842. **Orgulho e preconceito** – Jane Austen
843. **Impressionismo** – Dominique Lobstein
844. **Escrita chinesa** – Viviane Alleton
845. **Paris: uma história** – Yvan Combeau
846(15). **Van Gogh** – David Haziot
848. **Portal do destino** – Agatha Christie
849. **O futuro de uma ilusão** – Freud
850. **O mal-estar na cultura** – Freud
853. **Um crime adormecido** – Agatha Christie
854. **Satori em Paris** – Jack Kerouac
855. **Medo e delírio em Las Vegas** – Hunter Thompson
856. **Um negócio fracassado e outros contos de humor** – Tchékhov
857. **Mônica está de férias!** – Mauricio de Sousa
858. **De quem é esse coelho?** – Mauricio de Sousa
860. **O mistério Sittaford** – Agatha Christie
861. **Manhã transfigurada** – L. A. de Assis Brasil
862. **Alexandre, o Grande** – Pierre Briant
863. **Jesus** – Charles Perrot
864. **Islã** – Paul Balta
865. **Guerra da Secessão** – Farid Ameur
866. **Um rio que vem da Grécia** – Cláudio Moreno
868. **Assassinato na casa do pastor** – Agatha Christie
869. **Manual do líder** – Napoleão Bonaparte
870(16). **Billie Holiday** – Sylvia Fol
871. **Bidu arrasando!** – Mauricio de Sousa
872. **Os Sousa: Desventuras em família** – Mauricio de Sousa
874. **E no final a morte** – Agatha Christie
875. **Guia prático do Português correto – vol. 4** – Cláudio Moreno
876. **Dilbert (6)** – Scott Adams
877(17). **Leonardo da Vinci** – Sophie Chauveau
878. **Bella Toscana** – Frances Mayes
879. **A arte da ficção** – David Lodge
880. **Striptiras (4)** – Laerte
881. **Skrotinhos** – Angeli
882. **Depois do funeral** – Agatha Christie
883. **Radicci 7** – Iotti
884. **Walden** – H. D. Thoreau
885. **Lincoln** – Allen C. Guelzo
886. **Primeira Guerra Mundial** – Michael Howard
887. **A linha de sombra** – Joseph Conrad
888. **O amor é um cão dos diabos** – Bukowski
890. **Despertar: uma vida de Buda** – Jack Kerouac
891(18). **Albert Einstein** – Laurent Seksik
892. **Hell's Angels** – Hunter Thompson
893. **Ausência na primavera** – Agatha Christie
894. **Dilbert (7)** – Scott Adams
895. **Ao sul de lugar nenhum** – Bukowski
896. **Maquiavel** – Quentin Skinner
897. **Sócrates** – C.C.W. Taylor
899. **O Natal de Poirot** – Agatha Christie
900. **As veias abertas da América Latina** – Eduardo Galeano
901. **Snoopy: Sempre alerta! (10)** – Charles Schulz
902. **Chico Bento: Plantando confusão** – Mauricio de Sousa
903. **Penadinho: Quem é morto sempre aparece** – Mauricio de Sousa
904. **A vida sexual da mulher feia** – Claudia Tajes
905. **100 segredos de liquidificador** – José Antonio Pinheiro Machado
906. **Sexo muito prazer 2** – Laura Meyer da Silva
907. **Os nascimentos** – Eduardo Galeano
908. **As caras e as máscaras** – Eduardo Galeano
909. **O século do vento** – Eduardo Galeano
910. **Poirot perde uma cliente** – Agatha Christie
911. **Cérebro** – Michael O'Shea
912. **O escaravelho de ouro e outras histórias** – Edgar Allan Poe
913. **Piadas para sempre (4)** – Visconde da Casa Verde
914. **100 receitas de massas light** – Helena Tonetto

915(19).**Oscar Wilde** – Daniel Salvatore Schiffer
916.**Uma breve história do mundo** – H. G. Wells
917.**A Casa do Penhasco** – Agatha Christie
919.**John M. Keynes** – Bernard Gazier
920(20).**Virginia Woolf** – Alexandra Lemasson
921.**Peter e Wendy** *seguido de* **Peter Pan em Kensington Gardens** – J. M. Barrie
922.**Aline: numas de colegial (5)** – Adão Iturrusgarai
923.**Uma dose mortal** – Agatha Christie
924.**Os trabalhos de Hércules** – Agatha Christie
926.**Kant** – Roger Scruton
927.**A inocência do Padre Brown** – G.K. Chesterton
928.**Casa Velha** – Machado de Assis
929.**Marcas de nascença** – Nancy Huston
930.**Aulete de bolso**
931.**Hora Zero** – Agatha Christie
932.**Morte na Mesopotâmia** – Agatha Christie
934.**Nem te conto, João** – Dalton Trevisan
935.**As aventuras de Huckleberry Finn** – Mark Twain
936(21).**Marilyn Monroe** – Anne Plantagenet
937.**China moderna** – Rana Mitter
938.**Dinossauros** – David Norman
939.**Louca por homem** – Claudia Tajes
940.**Amores de alto risco** – Walter Riso
941.**Jogo de damas** – David Coimbra
942.**Filha é filha** – Agatha Christie
943.**M ou N?** – Agatha Christie
945.**Bidu: diversão em dobro!** – Mauricio de Sousa
946.**Fogo** – Anaïs Nin
947.**Rum: diário de um jornalista bêbado** – Hunter Thompson
948.**Persuasão** – Jane Austen
949.**Lágrimas na chuva** – Sergio Faraco
950.**Mulheres** – Bukowski
951.**Um pressentimento funesto** – Agatha Christie
952.**Cartas na mesa** – Agatha Christie
954.**O lobo do mar** – Jack London
955.**Os gatos** – Patricia Highsmith
956(22).**Jesus** – Christiane Rancé
957.**História da medicina** – William Bynum
958.**O Morro dos Ventos Uivantes** – Emily Brontë
959.**A filosofia na era trágica dos gregos** – Nietzsche
960.**Os treze problemas** – Agatha Christie
961.**A massagista japonesa** – Moacyr Scliar
963.**Humor do miserê** – Nani
964.**Todo o mundo tem dúvida, inclusive você** – Édison de Oliveira
965.**A dama do Bar Nevada** – Sergio Faraco
969.**O psicopata americano** – Bret Easton Ellis
970.**Ensaios de amor** – Alain de Botton
971.**O grande Gatsby** – F. Scott Fitzgerald
972.**Por que não sou cristão** – Bertrand Russell
973.**A Casa Torta** – Agatha Christie
974.**Encontro com a morte** – Agatha Christie
975(23).**Rimbaud** – Jean-Baptiste Baronian
976.**Cartas na rua** – Bukowski
977.**Memória** – Jonathan K. Foster
978.**A abadia de Northanger** – Jane Austen
979.**As pernas de Úrsula** – Claudia Tajes
980.**Retrato inacabado** – Agatha Christie
981.**Solanin (1)** – Inio Asano
982.**Solanin (2)** – Inio Asano
983.**Aventuras de menino** – Mitsuru Adachi
984(16).**Fatos & mitos sobre sua alimentação** – Dr. Fernando Lucchese
985.**Teoria quântica** – John Polkinghorne
986.**O eterno marido** – Fiódor Dostoiévski
987.**Um safado em Dublin** – J. P. Donleavy
988.**Mirinha** – Dalton Trevisan
989.**Akhenaton e Nefertiti** – Carmen Seganfredo e A. S. Franchini
990.**On the Road – o manuscrito original** – Jack Kerouac
991.**Relatividade** – Russell Stannard
992.**Abaixo de zero** – Bret Easton Ellis
993(24).**Andy Warhol** – Mériam Korichi
995.**Os últimos casos de Miss Marple** – Agatha Christie
996.**Nico Demo: Aí vem encrenca** – Mauricio de Sousa
998.**Rousseau** – Robert Wokler
999.**Noite sem fim** – Agatha Christie
1000.**Diários de Andy Warhol (1)** – Editado por Pat Hackett
1001.**Diários de Andy Warhol (2)** – Editado por Pat Hackett
1002.**Cartier-Bresson: o olhar do século** – Pierre Assouline
1003.**As melhores histórias da mitologia: vol. 1** – A.S. Franchini e Carmen Seganfredo
1004.**As melhores histórias da mitologia: vol. 2** – A.S. Franchini e Carmen Seganfredo
1005.**Assassinato no beco** – Agatha Christie
1006.**Convite para um homicídio** – Agatha Christie
1008.**História da vida** – Michael J. Benton
1009.**Jung** – Anthony Stevens
1010.**Arsène Lupin, ladrão de casaca** – Maurice Leblanc
1011.**Dublinenses** – James Joyce
1012.**120 tirinhas da Turma da Mônica** – Mauricio de Sousa
1013.**Antologia poética** – Fernando Pessoa
1014.**A aventura de um cliente ilustre** *seguido de* **O último adeus de Sherlock Holmes** – Sir Arthur Conan Doyle
1015.**Cenas de Nova York** – Jack Kerouac
1016.**A corista** – Anton Tchékhov
1017.**O diabo** – Leon Tolstói
1018.**Fábulas chinesas** – Sérgio Capparelli e Márcia Schmaltz
1019.**O gato do Brasil** – Sir Arthur Conan Doyle
1020.**Missa do Galo** – Machado de Assis
1021.**O mistério de Marie Rogêt** – Edgar Allan Poe
1022.**A mulher mais linda da cidade** – Bukowski
1023.**O retrato** – Nicolai Gogol
1024.**O conflito** – Agatha Christie
1025.**Os primeiros casos de Poirot** – Agatha Christie
1027(25).**Beethoven** – Bernard Fauconnier

1028. **Platão** – Julia Annas
1029. **Cleo e Daniel** – Roberto Freire
1030. **Til** – José de Alencar
1031. **Viagens na minha terra** – Almeida Garrett
1032. **Profissões para mulheres e outros artigos feministas** – Virginia Woolf
1033. **Mrs. Dalloway** – Virginia Woolf
1034. **O cão da morte** – Agatha Christie
1035. **Tragédia em três atos** – Agatha Christie
1037. **O fantasma da Ópera** – Gaston Leroux
1038. **Evolução** – Brian e Deborah Charlesworth
1039. **Medida por medida** – Shakespeare
1040. **Razão e sentimento** – Jane Austen
1041. **A obra-prima ignorada** *seguido de* **Um episódio durante o Terror** – Balzac
1042. **A fugitiva** – Anaïs Nin
1043. **As grandes histórias da mitologia greco-romana** – A. S. Franchini
1044. **O corno de si mesmo & outras historietas** – Marquês de Sade
1045. **Da felicidade** *seguido de* **Da vida retirada** – Sêneca
1046. **O horror em Red Hook e outras histórias** – H. P. Lovecraft
1047. **Noite em claro** – Martha Medeiros
1048. **Poemas clássicos chineses** – Li Bai, Du Fu e Wang Wei
1049. **A terceira moça** – Agatha Christie
1050. **Um destino ignorado** – Agatha Christie
1051. (26). **Buda** – Sophie Royer
1052. **Guerra Fria** – Robert J. McMahon
1053. **Simons's Cat: as aventuras de um gato travesso e comilão – vol. 1** – Simon Tofield
1054. **Simons's Cat: as aventuras de um gato travesso e comilão – vol. 2** – Simon Tofield
1055. **Só as mulheres e as baratas sobreviverão** – Claudia Tajes
1057. **Pré-história** – Chris Gosden
1058. **Pintou sujeira!** – Mauricio de Sousa
1059. **Contos de Mamãe Gansa** – Charles Perrault
1060. **A interpretação dos sonhos: vol. 1** – Freud
1061. **A interpretação dos sonhos: vol. 2** – Freud
1062. **Frufru Rataplã Dolores** – Dalton Trevisan
1063. **As melhores histórias da mitologia egípcia** – Carmem Seganfredo e A.S. Franchini
1064. **Infância. Adolescência. Juventude** – Tolstói
1065. **As consolações da filosofia** – Alain de Botton
1066. **Diários de Jack Kerouac – 1947-1954**
1067. **Revolução Francesa – vol. 1** – Max Gallo
1068. **Revolução Francesa – vol. 2** – Max Gallo
1069. **O detetive Parker Pyne** – Agatha Christie
1070. **Memórias do esquecimento** – Flávio Tavares
1071. **Drogas** – Leslie Iversen
1072. **Manual de ecologia (vol.2)** – J. Lutzenberger
1073. **Como andar no labirinto** – Affonso Romano de Sant'Anna
1074. **A orquídea e o serial killer** – Juremir Machado da Silva
1075. **Amor nos tempos de fúria** – Lawrence Ferlinghetti
1076. **A aventura do pudim de Natal** – Agatha Christie
1078. **Amores que matam** – Patricia Faur
1079. **Histórias de pescador** – Mauricio de Sousa
1080. **Pedaços de um caderno manchado de vinho** – Bukowski
1081. **A ferro e fogo: tempo de solidão (vol.1)** – Josué Guimarães
1082. **A ferro e fogo: tempo de guerra (vol.2)** – Josué Guimarães
1084. (17). **Desembarcando o Alzheimer** – Dr. Fernando Lucchese e Dra. Ana Hartmann
1085. **A maldição do espelho** – Agatha Christie
1086. **Uma breve história da filosofia** – Nigel Warburton
1088. **Heróis da História** – Will Durant
1089. **Concerto campestre** – L. A. de Assis Brasil
1090. **Morte nas nuvens** – Agatha Christie
1092. **Aventura em Bagdá** – Agatha Christie
1093. **O cavalo amarelo** – Agatha Christie
1094. **O método de interpretação dos sonhos** – Freud
1095. **Sonetos de amor e desamor** – Vários
1096. **120 tirinhas do Dilbert** – Scott Adams
1097. **200 fábulas de Esopo**
1098. **O curioso caso de Benjamin Button** – F. Scott Fitzgerald
1099. **Piadas para sempre: uma antologia para morrer de rir** – Visconde da Casa Verde
1100. **Hamlet (Mangá)** – Shakespeare
1101. **A arte da guerra (Mangá)** – Sun Tzu
1104. **As melhores histórias da Bíblia (vol.1)** – A. S. Franchini e Carmen Seganfredo
1105. **As melhores histórias da Bíblia (vol.2)** – A. S. Franchini e Carmen Seganfredo
1106. **Psicologia das massas e análise do eu** – Freud
1107. **Guerra Civil Espanhola** – Helen Graham
1108. **A autoestrada do sul e outras histórias** – Julio Cortázar
1109. **O mistério dos sete relógios** – Agatha Christie
1110. **Peanuts: Ninguém gosta de mim... (amor)** – Charles Schulz
1111. **Cadê o bolo?** – Mauricio de Sousa
1112. **O filósofo ignorante** – Voltaire
1113. **Totem e tabu** – Freud
1114. **Filosofia pré-socrática** – Catherine Osborne
1115. **Desejo de status** – Alain de Botton
1118. **Passageiro para Frankfurt** – Agatha Christie
1120. **Kill All Enemies** – Melvin Burgess
1121. **A morte da sra. McGinty** – Agatha Christie
1122. **Revolução Russa** – S. A. Smith
1123. **Até você, Capitu?** – Dalton Trevisan
1124. **O grande Gatsby (Mangá)** – F. S. Fitzgerald
1125. **Assim falou Zaratustra (Mangá)** – Nietzsche
1126. **Peanuts: É para isso que servem os amigos (amizade)** – Charles Schulz
1127. (27). **Nietzsche** – Dorian Astor
1128. **Bidu: Hora do banho** – Mauricio de Sousa
1129. **O melhor do Macanudo Taurino** – Santiago
1130. **Radicci 30 anos** – Iotti
1131. **Show de sabores** – J.A. Pinheiro Machado

1132. O prazer das palavras – vol. 3 – Cláudio Moreno
1133. Morte na praia – Agatha Christie
1134. O fardo – Agatha Christie
1135. Manifesto do Partido Comunista (Mangá) – Marx & Engels
1136. A metamorfose (Mangá) – Franz Kafka
1137. Por que você não se casou... ainda – Tracy McMillan
1138. Textos autobiográficos – Bukowski
1139. A importância de ser prudente – Oscar Wilde
1140. Sobre a vontade na natureza – Arthur Schopenhauer
1141. Dilbert (8) – Scott Adams
1142. Entre dois amores – Agatha Christie
1143. Cipreste triste – Agatha Christie
1144. Alguém viu uma assombração? – Mauricio de Sousa
1145. Mandela – Elleke Boehmer
1146. Retrato do artista quando jovem – James Joyce
1147. Zadig ou o destino – Voltaire
1148. O contrato social (Mangá) – J.-J. Rousseau
1149. Garfield fenomenal – Jim Davis
1150. A queda da América – Allen Ginsberg
1151. Música na noite & outros ensaios – Aldous Huxley
1152. Poesias inéditas & Poemas dramáticos – Fernando Pessoa
1153. Peanuts: Felicidade é... – Charles M. Schulz
1154. Mate-me por favor – Legs McNeil e Gillian McCain
1155. Assassinato no Expresso Oriente – Agatha Christie
1156. Um punhado de centeio – Agatha Christie
1157. A interpretação dos sonhos (Mangá) – Freud
1158. Peanuts: Você não entende o sentido da vida – Charles M. Schulz
1159. A dinastia Rothschild – Herbert R. Lottman
1160. A Mansão Hollow – Agatha Christie
1161. Nas montanhas da loucura – H.P. Lovecraft
1162. (28). Napoleão Bonaparte – Pascale Fautrier
1163. Um corpo na biblioteca – Agatha Christie
1164. Inovação – Mark Dodgson e David Gann
1165. O que toda mulher deve saber sobre os homens: a afetividade masculina – Walter Riso
1166. O amor está no ar – Mauricio de Sousa
1167. Testemunha de acusação & outras histórias – Agatha Christie
1168. Etiqueta de bolso – Celia Ribeiro
1169. Poesia reunida (volume 3) – Affonso Romano de Sant'Anna
1170. Emma – Jane Austen
1171. Que seja em segredo – Ana Miranda
1172. Garfield sem apetite – Jim Davis
1173. Garfield: Foi mal... – Jim Davis
1174. Os irmãos Karamázov (Mangá) – Dostoiévski
1175. O Pequeno Príncipe – Antoine de Saint-Exupéry
1176. Peanuts: Ninguém mais tem o espírito aventureiro – Charles M. Schulz
1177. Assim falou Zaratustra – Nietzsche
1178. Morte no Nilo – Agatha Christie
1179. Ê, soneca boa – Mauricio de Sousa
1180. Garfield a todo o vapor – Jim Davis
1181. Em busca do tempo perdido (Mangá) – Proust
1182. Cai o pano: o último caso de Poirot – Agatha Christie
1183. Livro para colorir e relaxar – Livro 1
1184. Para colorir sem parar
1185. Os elefantes não esquecem – Agatha Christie
1186. Teoria da relatividade – Albert Einstein
1187. Compêndio da psicanálise – Freud
1188. Visões de Gerard – Jack Kerouac
1189. Fim de verão – Mohiro Kitoh
1190. Procurando diversão – Mauricio de Sousa
1191. E não sobrou nenhum e outras peças – Agatha Christie
1192. Ansiedade – Daniel Freeman & Jason Freeman
1193. Garfield: pausa para o almoço – Jim Davis
1194. Contos do dia e da noite – Guy de Maupassant
1195. O melhor de Hagar 7 – Dik Browne
1196. (29). Lou Andreas-Salomé – Dorian Astor
1197. (30). Pasolini – René de Ceccatty
1198. O caso do Hotel Bertram – Agatha Christie
1199. Crônicas de motel – Sam Shepard
1200. Pequena filosofia da paz interior – Catherine Rambert
1201. Os sertões – Euclides da Cunha
1202. Treze à mesa – Agatha Christie
1203. Bíblia – John Riches
1204. Anjos – David Albert Jones
1205. As tirinhas do Guri de Uruguaiana 1 – Jair Kobe
1206. Entre aspas (vol.1) – Fernando Eichenberg
1207. Escrita – Andrew Robinson
1208. O spleen de Paris: pequenos poemas em prosa – Charles Baudelaire
1209. Satíricon – Petrônio
1210. O avarento – Molière
1211. Queimando na água, afogando-se na chama – Bukowski
1212. Miscelânea septuagenária: contos e poemas – Bukowski
1213. Que filosofar é aprender a morrer e outros ensaios – Montaigne
1214. Da amizade e outros ensaios – Montaigne
1215. O medo à espreita e outras histórias – H.P. Lovecraft
1216. A obra de arte na era de sua reprodutibilidade técnica – Walter Benjamin
1217. Sobre a liberdade – John Stuart Mill
1218. O segredo de Chimneys – Agatha Christie
1219. Morte na rua Hickory – Agatha Christie
1220. Ulisses (Mangá) – James Joyce
1221. Ateísmo – Julian Baggini
1222. Os melhores contos de Katherine Mansfield – Katherine Mansfied
1223. (31). Martin Luther King – Alain Foix

1224. **Millôr Definitivo: uma antologia de** *A Bíblia do Caos* – Millôr Fernandes
1225. **O Clube das Terças-Feiras e outras histórias** – Agatha Christie
1226. **Por que sou tão sábio** – Nietzsche
1227. **Sobre a mentira** – Platão
1228. **Sobre a leitura** *seguido do* **Depoimento de Céleste Albaret** – Proust
1229. **O homem do terno marrom** – Agatha Christie
1230(32). **Jimi Hendrix** – Franck Médioni
1231. **Amor e amizade e outras histórias** – Jane Austen
1232. **Lady Susan, Os Watson e Sanditon** – Jane Austen
1233. **Uma breve história da ciência** – William Bynum
1234. **Macunaíma: o herói sem nenhum caráter** – Mário de Andrade
1235. **A máquina do tempo** – H.G. Wells
1236. **O homem invisível** – H.G. Wells
1237. **Os 36 estratagemas: manual secreto da arte da guerra** – Anônimo
1238. **A mina de ouro e outras histórias** – Agatha Christie
1239. **Pic** – Jack Kerouac
1240. **O habitante da escuridão e outros contos** – H.P. Lovecraft
1241. **O chamado de Cthulhu e outros contos** – H.P. Lovecraft
1242. **O melhor de Meu reino por um cavalo!** – Edição de Ivan Pinheiro Machado
1243. **A guerra dos mundos** – H.G. Wells
1244. **O caso da criada perfeita e outras histórias** – Agatha Christie
1245. **Morte por afogamento e outras histórias** – Agatha Christie
1246. **Assassinato no Comitê Central** – Manuel Vázquez Montalbán
1247. **O papai é pop** – Marcos Piangers
1248. **O papai é pop 2** – Marcos Piangers
1249. **A mamãe é rock** – Ana Cardoso
1250. **Paris boêmia** – Dan Franck
1251. **Paris libertária** – Dan Franck
1252. **Paris ocupada** – Dan Franck
1253. **Uma anedota infame** – Dostoiévski
1254. **O último dia de um condenado** – Victor Hugo
1255. **Nem só de caviar vive o homem** – J.M. Simmel
1256. **Amanhã é outro dia** – J.M. Simmel
1257. **Mulherzinhas** – Louisa May Alcott
1258. **Reforma Protestante** – Peter Marshall
1259. **História econômica global** – Robert C. Allen
1260(33). **Che Guevara** – Alain Foix
1261. **Câncer** – Nicholas James
1262. **Akhenaton** – Agatha Christie
1263. **Aforismos para a sabedoria de vida** – Arthur Schopenhauer
1264. **Uma história do mundo** – David Coimbra
1265. **Ame e não sofra** – Walter Riso
1266. **Desapegue-se!** – Walter Riso
1267. **Os Sousa: Uma famíla do barulho** – Mauricio de Sousa
1268. **Nico Demo: O rei da travessura** – Mauricio de Sousa
1269. **Testemunha de acusação e outras peças** – Agatha Christie
1270(34). **Dostoiévski** – Virgil Tanase
1271. **O melhor de Hagar 8** – Dik Browne
1272. **O melhor de Hagar 9** – Dik Browne
1273. **O melhor de Hagar 10** – Dik e Chris Browne
1274. **Considerações sobre o governo representativo** – John Stuart Mill
1275. **O homem Moisés e a religião monoteísta** – Freud
1276. **Inibição, sintoma e medo** – Freud
1277. **Além do princípio de prazer** – Freud
1278. **O direito de dizer não!** – Walter Riso
1279. **A arte de ser flexível** – Walter Riso
1280. **Casados e descasados** – August Strindberg
1281. **Da Terra à Lua** – Júlio Verne
1282. **Minhas galerias e meus pintores** – Kahnweiler
1283. **A arte do romance** – Virginia Woolf
1284. **Teatro completo v. 1: As aves da noite** *seguido de* **O visitante** – Hilda Hilst
1285. **Teatro completo v. 2: O verdugo** *seguido de* **A morte do patriarca** – Hilda Hilst
1286. **Teatro completo v. 3: O rato no muro** *seguido de* **Auto da barca de Camiri** – Hilda Hilst
1287. **Teatro completo v. 4: A empresa** *seguido de* **O novo sistema** – Hilda Hilst
1288. **Sapiens: Uma breve história da humanidade** – Yuval Noah Harari
1289. **Fora de mim** – Martha Medeiros
1290. **Divã** – Martha Medeiros
1291. **Sobre a genealogia da moral: um escrito polêmico** – Nietzsche
1292. **A consciência de Zeno** – Italo Svevo
1293. **Células-tronco** – Jonathan Slack
1294. **O fim do ciúme e outros contos** – Proust
1295. **A jangada** – Júlio Verne
1296. **A ilha do dr. Moreau** – H.G. Wells
1297. **Ninho de fidalgos** – Ivan Turguêniev
1298. **Jane Eyre** – Charlotte Brontë
1299. **Sobre gatos** – Bukowski
1300. **Sobre o amor** – Bukowski
1301. **Escrever para não enlouquecer** – Bukowski
1302. **222 receitas** – J. A. Pinheiro Machado
1303. **Reinações de Narizinho** – Monteiro Lobato
1304. **O Saci** – Monteiro Lobato
1305. **Memórias da Emília** – Monteiro Lobato
1306. **O Picapau Amarelo** – Monteiro Lobato
1307. **A reforma da Natureza** – Monteiro Lobato
1308. **Fábulas** *seguido de* **Histórias diversas** – Monteiro Lobato
1309. **Aventuras de Hans Staden** – Monteiro Lobato
1310. **Peter Pan** – Monteiro Lobato
1311. **Dom Quixote das crianças** – Monteiro Lobato
1312. **O Minotauro** – Monteiro Lobato
1313. **Um quarto só seu** – Virginia Woolf
1314. **Sonetos** – Shakespeare

lepmeditores
www.lpm.com.br
o site que conta tudo

IMPRESSÃO:

PALLOTTI
GRÁFICA

Santa Maria - RS | Fone: (55) 3220.4500
www.graficapallotti.com.br